A (HONESTA) VERDADE SOBRE A DESONESTIDADE

A (HONESTA) VERDADE SOBRE A DESONESTIDADE

COMO MENTIMOS PARA TODO MUNDO, ESPECIALMENTE PARA NÓS MESMOS

DAN ARIELY

SEXTANTE

Título original: *The (Honest) Truth about Dishonesty*
Copyright © 2012, 2013 por Dan Ariely
Copyright da tradução © 2021 por GMT Editores Ltda.

Todos os direitos reservados. Nenhuma parte deste livro pode ser utilizada ou reproduzida sob quaisquer meios existentes sem autorização por escrito dos editores.

tradução: Ivo Korytowski
preparo de originais: Melissa Lopes Leite
revisão: Luis Américo Costa e Pedro Staite
adaptação de projeto gráfico e diagramação: DTPhoenix Editorial
capa: HarperCollins Publishers Ltd.
imagem de capa: © David Malan | Getty Images
adaptação de capa: Ana Paula Daudt Brandão
impressão e acabamento: Lis Gráfica e Editora Ltda.

CIP-BRASIL. CATALOGAÇÃO NA PUBLICAÇÃO
SINDICATO NACIONAL DOS EDITORES DE LIVROS, RJ

A744h

Ariely, Dan, 1967-
  A (honesta) verdade sobre a desonestidade / Dan Ariely; tradução Ivo Korytowski. – 1. ed. – Rio de Janeiro : Sextante, 2021.
  240 p. ; 23 cm.

  Tradução de: The (honest) truth about dishonesty
  Inclui bibliografia
  ISBN 978-65-5564-166-0

  1. Honestidade. 2. Veracidade e falsidade. I. Korytowski, Ivo. II. Título.

21-70451
CDD: 177.3
CDU: 111.83

Meri Gleice Rodrigues de Souza - Bibliotecária - CRB-7/6439

Todos os direitos reservados, no Brasil, por
GMT Editores Ltda.
Rua Voluntários da Pátria, 45 – Gr. 1.404 – Botafogo
22270-000 – Rio de Janeiro – RJ
Tel.: (21) 2538-4100 – Fax: (21) 2286-9244
E-mail: atendimento@sextante.com.br
www.sextante.com.br

Para meus professores, colaboradores e alunos, por tornarem as pesquisas divertidas e empolgantes.

E a todos que fizeram parte de nossos experimentos no decorrer dos anos – vocês são o motor dessas pesquisas e sou profundamente grato por toda a sua ajuda.

SUMÁRIO

INTRODUÇÃO   9
Por que a desonestidade é tão interessante?

1   TESTANDO O MODELO SIMPLES DO CRIME RACIONAL (SMORC)   17

2   A MARGEM DE MANOBRA NA PRÁTICA   31

2B   GOLFE   49

3   CEGOS POR NOSSAS MOTIVAÇÕES   57

4   POR QUE CHUTAMOS O BALDE QUANDO ESTAMOS CANSADOS   79

5   POR QUE USAR PRODUTOS FALSIFICADOS
NOS FAZ TRAPACEAR MAIS   95

6   ENGANANDO A NÓS MESMOS   113

7   CRIATIVIDADE E DESONESTIDADE   131
Somos todos contadores de histórias

8   A TRAPAÇA PODE SER CONTAGIOSA   151
Como contraímos o vírus da desonestidade

9   TRAPAÇA COLABORATIVA   171
Por que duas cabeças não são necessariamente melhores do que uma

10   UM FINAL SEMIOTIMISTA   187
As pessoas não trapaceiam tanto quanto poderiam

11 ALGUMAS REFLEXÕES SOBRE RELIGIÃO E
   HONESTIDADE/DESONESTIDADE   201

Agradecimentos   223

Lista de colaboradores   225

Notas   229

Bibliografia e leituras adicionais   231

INTRODUÇÃO

Por que a desonestidade é tão interessante?

"Existe uma maneira de descobrir se alguém é honesto: basta perguntar a ele. Se responder 'sim', é um trapaceiro."

– GROUCHO MARX, *ator e comediante americano*

Meu interesse por trapaças e fraudes foi despertado em 2002, poucos meses após o colapso da Enron. Eu estava passando a semana em outra cidade para participar de uma conferência ligada à tecnologia e, uma noite, conheci John Perry Barlow, compositor da banda Grateful Dead. Durante nossa conversa, descobri que ele trabalhava também como consultor para algumas empresas, inclusive a Enron.

Em linhas gerais, a queda da queridinha de Wall Street em 2001 foi mais ou menos assim: graças a uma série de truques de contabilidade – auxiliados pela vista grossa de consultores, agências de avaliação de risco, do conselho de administração da empresa e da agora extinta firma de auditoria Arthur Andersen –, a Enron alcançou altos patamares de sucesso financeiro para depois despencar quando seus atos não puderam mais ser ocultados. Acionistas perderam seus investimentos, planos de previdência viraram pó, milhares de funcionários ficaram sem emprego e a empresa foi à falência.

Enquanto eu conversava com John, a descrição que ele fez de sua própria cegueira voluntária me despertou interesse. Embora prestasse consultoria à Enron enquanto a empresa rapidamente degringolava, ele disse que não havia visto nada de sinistro ocorrendo. Na verdade, comprara totalmente a ideia de que a Enron era uma líder inovadora da nova economia até o momento em que a história chegou a todas as manchetes. De forma ainda mais surpreendente, ele também me contou que, depois que a informação foi divulgada, não conseguia acreditar que não tivesse enxergado os sinais aquele tempo todo.

Aquilo me fez pensar. Antes de conversar com John, eu supunha que o desastre da Enron fora causado basicamente por seus três perniciosos artífices de nível executivo (Jeffrey Skilling, Kenneth Lay e Andrew Fastow), que juntos haviam planejado e executado uma fraude contábil em larga escala. Mas ali estava eu sentado com aquele sujeito, de quem gostava e que admirava, que tinha a própria história de envolvimento com a Enron – uma história de cegueira voluntária, não de desonestidade deliberada.

Era possível, claro, que John e todos os demais envolvidos com a Enron fossem profundamente corruptos, mas passei a pensar em um tipo diferente de desonestidade em ação – mais ligada à cegueira voluntária e praticada por gente como John, você e eu. Comecei a me perguntar se o problema da desonestidade vai mais fundo do que apenas umas poucas maçãs podres e se esse tipo de cegueira voluntária ocorre em outras empresas também.* Quis saber se meus amigos e eu teríamos nos comportado de forma semelhante se a consultoria para a Enron estivesse a nosso cargo.

Fiquei fascinado com o tema da trapaça e da desonestidade. De onde isso vem? Qual é o potencial humano para a honestidade e a desonestidade? E, talvez o mais importante, a desonestidade se restringe a umas poucas maçãs podres ou é um problema mais generalizado?

Percebi que a resposta a essa última pergunta poderia mudar substancialmente nossa forma de lidar com a desonestidade, ou seja, se apenas umas poucas maçãs podres são responsáveis pela maioria das trapaças no mundo, remediaríamos o problema com facilidade. Departamentos de recursos humanos poderiam fazer a triagem dos trapaceiros durante o processo de contratação ou melhorar o procedimento de se livrar das pessoas que com o tempo se mostrassem desonestas.

Porém, se o problema não se limita a uns poucos desajustados, então qualquer pessoa poderia se comportar de forma desonesta no trabalho e

---

* A enxurrada de escândalos corporativos ocorrida daquele ponto em diante respondeu claramente a essa pergunta.

em casa – você e eu, inclusive. E, se todos temos o potencial de ser ligeiramente criminosos, é importantíssimo primeiro entender como a desonestidade funciona e depois achar meios de conter e controlar esse aspecto de nossa natureza.

O que sabemos sobre as causas da desonestidade? Na economia racional, a concepção predominante de trapaça vem de Gary Becker, economista da Universidade de Chicago. Vencedor do Prêmio Nobel, ele afirmou que as pessoas cometem crimes com base na análise racional de cada situação. Como descreve Tim Harford no livro *A lógica da vida*,* o surgimento dessa teoria foi bem trivial. Um dia, Becker estava indo para uma reunião, já em cima da hora, e, por não encontrar vaga para estacionar, decidiu parar em local proibido e se arriscar a levar uma multa. Ele examinou seu raciocínio naquela situação e observou que sua decisão havia sido uma questão de comparar o possível custo – ser pego, multado e provavelmente rebocado – com o benefício de chegar à reunião a tempo. Também notou que, ao comparar custos com benefícios, não houve lugar para considerações de certo ou errado. Tratou-se simplesmente de comparar os possíveis resultados positivos e negativos.

Assim surgiu o Modelo Simples do Crime Racional (do inglês Simple Model of Rational Crime – SMORC). De acordo com ele, todos pensamos e agimos basicamente como fez Becker. À semelhança de um assaltante comum, buscamos tirar alguma vantagem em nossa interação com o mundo. Se o fazemos assaltando bancos ou escrevendo livros, é irrelevante para nossos cálculos racionais de custos e benefícios. De acordo com a lógica de Becker, se estamos sem dinheiro e passamos por uma loja de conveniência, rapidamente estimamos quanto dinheiro existe na caixa registradora, consideramos as chances de ser pegos e imaginamos qual punição poderíamos sofrer (obviamente conseguindo uma redução da pena por bom comportamento). Com base nesse cálculo de custo-benefício, decidimos então se vale a pena assaltar o local ou não. A essência da teoria de Becker é que de-

---

* Para as referências completas de todos os materiais usados em cada capítulo, além de leituras relacionadas, ver a seção "Bibliografia e leituras adicionais", no final do livro.

cisões sobre honestidade, como quase todas as demais decisões, baseiam-se em uma análise de custo-benefício.

O SMORC é um modelo bem direto da desonestidade, mas a questão é se descreve precisamente a conduta das pessoas no mundo real. Se esse é o caso, a sociedade tem dois meios claros de lidar com a desonestidade. O primeiro é elevar a probabilidade de ser pego (contratando mais policiais e instalando mais câmeras de segurança, por exemplo). O segundo é aumentar a magnitude da punição para os criminosos (por exemplo, impondo maiores penas de prisão e multas). Esse, meus amigos, é o SMORC, com suas claras implicações para o combate ao crime, as punições e a desonestidade em geral.

Mas e se a visão um tanto simplista do SMORC for imprecisa ou incompleta? Nesse caso, as abordagens-padrão para vencer a desonestidade serão ineficientes e insuficientes. Se o SMORC é um modelo imperfeito das causas da desonestidade, precisamos primeiro descobrir quais forças *realmente* levam as pessoas a trapacear e depois aplicar essa compreensão aprimorada para reprimir a desonestidade. É exatamente disso que trata este livro.*

A vida no mundo do SMORC

Antes de examinar as forças que influenciam nossa honestidade e nossa desonestidade, consideremos uma rápida experiência hipotética. Como seria nossa vida se todos seguíssemos rigorosamente o SMORC e avaliássemos apenas os custos e benefícios de nossas ações?

Se vivêssemos em um mundo puramente baseado no SMORC, faríamos uma análise de custo-benefício de todas as nossas decisões e agiríamos da forma que parecesse mais racional. Não tomaríamos decisões com base nas emoções ou na confiança, de modo que provavelmente trancaríamos nossas carteiras em uma gaveta quando saíssemos de nossa baia no escritório por um minuto. Manteríamos nosso dinheiro sob o colchão ou trancado num cofre. Não estaríamos dispostos a pedir aos vizinhos que cuidassem

---

* Além de explorar o tema da desonestidade, este livro fala fundamentalmente sobre racionalidade e irracionalidade. E, embora a desonestidade seja fascinante e importante nos empreendimentos humanos por si mesma, também é essencial ter em mente que ela não passa de um componente isolado de nossa interessante e complexa natureza humana.

de nossas plantas enquanto estivéssemos viajando, temendo que furtassem nossas coisas. Vigiaríamos nossos colegas de trabalho como falcões. Não haveria valor em dar um aperto de mão para selar um acordo; contratos formais seriam necessários para qualquer transação, o que também significaria que passaríamos uma parte substancial de nosso tempo em batalhas e litígios legais. Poderíamos decidir não ter filhos porque, quando crescessem, eles também tentariam surrupiar todos os nossos pertences – morando conosco, teriam muitas oportunidades.

Certo, sabemos que ninguém é santo. Estamos longe da perfeição. Mas, se você concorda que o mundo do SMORC não é um quadro correto de como pensamos e nos comportamos, tampouco uma descrição exata de nossa vida diária, essa experiência hipotética indica que não trapaceamos tanto quanto faríamos se fôssemos perfeitamente racionais e agíssemos somente por interesse próprio.

O chamado da arte

Em abril de 2011, o programa de rádio *This American Life*,[1] de Ira Glass, apresentou uma matéria sobre Dan Weiss, um jovem universitário que trabalhava no Centro John F. Kennedy de Artes Cênicas, em Washington. Sua função era cuidar do estoque das lojas de suvenires do centro, onde uma equipe de 300 voluntários bem-intencionados – em sua maioria, aposentados que adoravam teatro e música – vendia as mercadorias aos visitantes.

As lojas de suvenires eram administradas como barracas de limonada. Não havia caixas registradoras, apenas caixas de papel onde os voluntários depositavam o dinheiro e de onde pegavam o troco. As lojinhas eram um ótimo negócio, com mais de 400 mil dólares em vendas de mercadorias anualmente. Mas tinham um grande problema: daquela quantia, uns 150 mil dólares desapareciam a cada ano.

Quando foi promovido a gerente, Dan assumiu a tarefa de capturar o ladrão. Começou a suspeitar de outro jovem funcionário cujo trabalho era levar o dinheiro ao banco. Contratou um detetive para montar uma operação e, numa noite de fevereiro, armaram a cilada. Dan colocou notas marcadas na caixa de papel e partiu. Depois, ele e o detetive se esconderam atrás de umas árvores ali por perto, aguardando pelo suspeito. Quando acabou o expediente e o membro suspeito da equipe foi embora, eles o abordaram e acharam algumas das notas marcadas no seu bolso. Caso encerrado, certo?

Não exatamente, como se constatou depois. O jovem empregado furtou apenas 60 dólares naquela noite, e, mesmo após sua demissão, o dinheiro e as mercadorias continuaram desaparecendo. O próximo passo de Dan foi criar um sistema de estoque com listas de preços e registros de vendas. Ele orientou os aposentados a anotar o que era vendido e o que recebiam, e os furtos cessaram. O problema não era um único ladrão, mas a multidão de voluntários idosos, bem-intencionados, amantes das artes que se apropriavam dos produtos e do dinheiro que estavam ali de bobeira.

A moral dessa história não é nada edificante. Nas palavras de Dan: "Nós vamos nos apropriar de coisas que não nos pertencem se tivermos uma chance. (...) Muitas pessoas precisam de alguma forma de controle para fazerem a coisa certa."

O principal propósito deste livro é examinar as forças racionais de custo-benefício que supostamente impeliriam o comportamento desonesto mas que, na verdade (como você verá), muitas vezes não impelem. Além disso, vamos examinar as forças irracionais que achamos que não importam mas com frequência fazem a diferença. Ou seja, quando uma grande quantidade de dinheiro desaparece, em geral achamos que foi obra de um criminoso frio e calculista. Mas, como constatamos na história dos amantes das artes, a trapaça ou a fraude não se devem necessariamente a um único sujeito fazendo uma análise de custo-benefício e furtando um montão de dinheiro. Em vez disso, não é incomum que muitas pessoas achem justificável pegar um pouquinho de dinheiro ou poucas mercadorias repetidas vezes.

A seguir exploraremos as forças que nos incitam a trapacear e daremos uma olhada mais de perto no que nos mantém honestos. Discutiremos o que faz a desonestidade se manifestar e como trapaceamos em nosso benefício ao mesmo tempo que mantemos uma visão positiva de nós mesmos – uma faceta de nossa conduta que viabiliza grande parte de nossa desonestidade.

Uma vez exploradas as tendências básicas subjacentes à desonestidade, nos voltaremos para alguns experimentos que nos ajudarão a descobrir as forças psicológicas e ambientais que aumentam e reduzem a honestidade em nosso cotidiano, incluindo conflitos de interesse, falsificações, promessas, criatividade e o mero cansaço. Exploraremos os aspectos sociais da desonestidade também, inclusive de que forma os outros influenciam nossa compreensão do que é certo e errado, e nossa capacidade de trapacear quando outros conseguem se beneficiar de nossa desonestidade. Por fim, tentaremos entender como a desonestidade funciona, como depende da estrutura de nosso ambiente cotidiano e sob quais condições tendemos a ser mais ou menos desonestos.

Além de explorar as forças que moldam a desonestidade, um dos principais benefícios práticos da abordagem da economia comportamental é mostrar as influências internas e ambientais sobre nossas atitudes cotidianas. Depois que entendemos mais claramente o que de fato nos impele, descobrimos que não estamos impotentes diante de nossas falhas humanas (entre as quais a desonestidade), que podemos reestruturar nosso contexto e assim obter melhores comportamentos e resultados.

As pesquisas que descrevo nos próximos capítulos ajudarão a entender o que causa nosso comportamento desonesto e indicarão alguns meios interessantes de reprimi-lo e limitá-lo.

Que comece a jornada!

1
TESTANDO O MODELO SIMPLES DO CRIME RACIONAL (SMORC)

Vou dizer logo, sem meias palavras.

Os outros trapaceiam. Você trapaceia. E, sim, eu também trapaceio de vez em quando.

Como professor universitário, tento variar as coisas um pouquinho para manter meus alunos interessados no curso. Para isso, de vez em quando convido palestrantes renomados para dar aula em meu lugar, o que também é um ótimo meio de reduzir o tempo que gasto na preparação delas. Basicamente, é uma situação em que todos saem ganhando: o palestrante, a turma e, claro, eu mesmo.

Certa vez, levei um convidado especial para minha aula de economia comportamental. Formado em direito pela Universidade de Princeton, ele era um prestigioso consultor de negócios para bancos e CEOs importantes. "Nos últimos anos", contei à turma, "nosso distinto convidado vem ajudando as elites empresariais a alcançar seus sonhos!" De imediato todos os alunos se mostraram interessados e atentos.

Depois dessa apresentação, o convidado assumiu o comando. E foi bem direto ao ponto.

– Hoje vou ajudá-los a alcançar seus sonhos. Seus sonhos envolvendo DINHEIRO! – bradou ele com uma voz poderosa. – Vocês querem ganhar DINHEIRO?

Todos assentiram e riram, apreciando sua abordagem entusiasmada e nem um pouco convencional.

– Alguém aí é rico? – perguntou. – Sei que sou, mas vocês, estudantes universitários, não são. Não, vocês todos são pobres. Mas isso vai mudar com o poder da TRAPAÇA. Vamos trapacear!

Ele então recitou os nomes de alguns trapaceiros execráveis, de Gengis Khan até exemplos atuais, inclusive uma dezena de CEOs: Alex Rodriguez, Bernie Madoff, Martha Stewart, entre outros.

– Vocês todos querem ser como eles – afirmou. – Querem ter poder e dinheiro! E tudo isso pode ser de vocês por meio da trapaça. Prestem atenção, que lhes contarei o segredo!

Após essa introdução inspiradora, chegou a hora de um exercício em grupo. Ele pediu aos estudantes que fechassem os olhos e respirassem fundo três vezes.

– Imaginem que vocês trapacearam e obtiveram seus primeiros 10 milhões de dólares – disse ele. – Como gastarão esse dinheiro? Você aí, de camisa vermelha!

– Com uma casa – respondeu o estudante timidamente.

– UMA CASA? Nós, ricos, chamaríamos de MANSÃO. E você? – perguntou, apontando para outro aluno.

– Com uma viagem de férias.

– Em sua ilha particular? Perfeito! Quando você ganha o tipo de dinheiro que os grandes trapaceiros ganham, isso muda sua vida. Alguém aí é um amante da alta gastronomia?

Uns poucos estudantes ergueram as mãos.

– Que tal uma refeição preparada pessoalmente pelo chef Jacques Pépin? Uma degustação de vinhos na adega Châteauneuf-du-Pape? Quem ganha dinheiro suficiente pode viver no luxo para sempre. Perguntem ao Trump! Escutem, todos sabemos que, por 10 milhões de dólares, vocês atropelariam seu namorado ou sua namorada. Estou aqui para dizer que não tem problema e soltar o freio de mão para vocês!

Àquela altura, a maioria dos alunos começava a perceber que não estávamos lidando com um modelo de vida sério. Mas, tendo passado os últimos 10 minutos compartilhando sonhos sobre as coisas empolgantes que fariam com seus primeiros 10 milhões de dólares, a turma estava dividida entre o desejo de ser rico e o reconhecimento de que trapacear era moralmente errado.

– Consigo sentir sua hesitação – declarou o palestrante. – Vocês não podem deixar suas emoções determinarem suas ações. Precisam confrontar seus temores mediante uma análise de custo-benefício. Será que algum de vocês poderia me dizer quais são as vantagens de enriquecer trapaceando? – perguntou.

– Você fica rico! – responderam os estudantes.

– Certo. E quais são as desvantagens?

– Você é pego!

– Ah – disse o palestrante. – Existe uma CHANCE de você ser pego. Mas aqui está o segredo! Ser pego trapaceando não é o mesmo que ser punido por trapacear. Veja Bernie Ebbers, ex-CEO da WorldCom. Seu advogado lançou mão do "argumento da ingenuidade", dizendo que Ebbers simplesmente não sabia o que estava acontecendo. Ou Jeff Skilling, ex-CEO da Enron, que chegou a mandar um e-mail dizendo: "Rasguem os documentos. Eles estão na nossa cola." Skilling mais tarde disse em depoimento que estava apenas sendo "sarcástico". Ora, se essas defesas não funcionarem, vocês podem muito bem se mudar para um país sem tratado de extradição com o nosso!

Devagar, mas com segurança, meu palestrante convidado – que na vida real é o comediante de stand-up Jeff Kreisler, autor de livros como *A psicologia do dinheiro*, em parceria comigo – vinha defendendo com veemência a abordagem das decisões financeiras baseadas somente no custo-benefício, sem dar atenção às considerações morais. Ouvindo a palestra de Jeff, os estudantes perceberam que, de uma perspectiva perfeitamente racional, ele estava cem por cento certo. Mas, ao mesmo tempo, não puderam deixar de se sentir perturbados e horrorizados com essa apologia da trapaça como o melhor caminho para o sucesso.

No fim da aula, pedi aos estudantes que pensassem sobre até que ponto seu comportamento se enquadrava no SMORC. "Quantas oportunidades de trapacear sem serem pegos vocês têm num dia comum?", perguntei a eles. "Quantas dessas oportunidades vocês aproveitam? Até que ponto a desonestidade à nossa volta aumentaria se todos adotassem a abordagem do custo-benefício sugerida por Jeff?"

Armando o cenário do teste

A abordagem tanto de Becker quanto de Jeff da desonestidade é composta por três elementos básicos: (1) o benefício que alguém irá obter com o crime; (2) a probabilidade de ser pego; (3) a punição esperada se a pessoa for pega. Ao comparar o primeiro componente (o ganho) com os dois últimos (os custos), o ser humano racional pode avaliar se cometer um crime específico compensa ou não.

Ora, o SMORC poderia ser uma descrição exata de como as pessoas tomam decisões sobre honestidade e trapaça, mas o mal-estar sentido por meus alunos (e por mim mesmo) com as implicações do SMORC sugere que devemos ir um pouco mais fundo para descobrir o que realmente ocorre. (As próximas páginas descreverão em mais detalhes a forma como mediremos a trapaça no decorrer deste livro. Portanto, preste atenção.)

Meus colegas Nina Mazar (professora da Universidade de Toronto) e On Amir (professor da Universidade da Califórnia em San Diego) e eu decidimos observar mais de perto como as pessoas trapaceiam. Afixamos anúncios por todo o campus do MIT (Massachusetts Institute of Technology), onde eu lecionava na época, oferecendo aos estudantes uma chance de ganhar até 10 dólares em cerca de 10 minutos.*

Na hora marcada, os participantes entravam numa sala onde se acomodavam em carteiras escolares (o típico ambiente de prova). Em seguida, cada participante recebia uma folha de papel contendo uma série de 20 matrizes diferentes (estruturadas como o exemplo que você verá na próxima página) e era informado de que sua tarefa era achar em cada uma daquelas matrizes dois números cuja soma fosse 10 (chamamos isto de "teste da matriz" e nos referiremos a ele no decorrer de grande parte deste livro). Também afirmávamos que teriam cinco minutos para solucionar o máximo possível das 20 matrizes e que receberiam 50 centavos por resposta correta (uma quantia que variou dependendo do experimento). Depois que o pesquisador dizia "Valendo!", os participantes viravam a página e começavam a resolver aqueles problemas de matemática o mais rápido possível.

---

* Os leitores de *Previsivelmente irracional* poderão reconhecer parte do material apresentado neste e no próximo capítulo.

Na Figura 1, abaixo, está um exemplo do aspecto daquela folha de papel, com uma das matrizes ampliada. Com que rapidez você consegue achar o par de números cuja soma é 10?

Figura 1: Teste da matriz

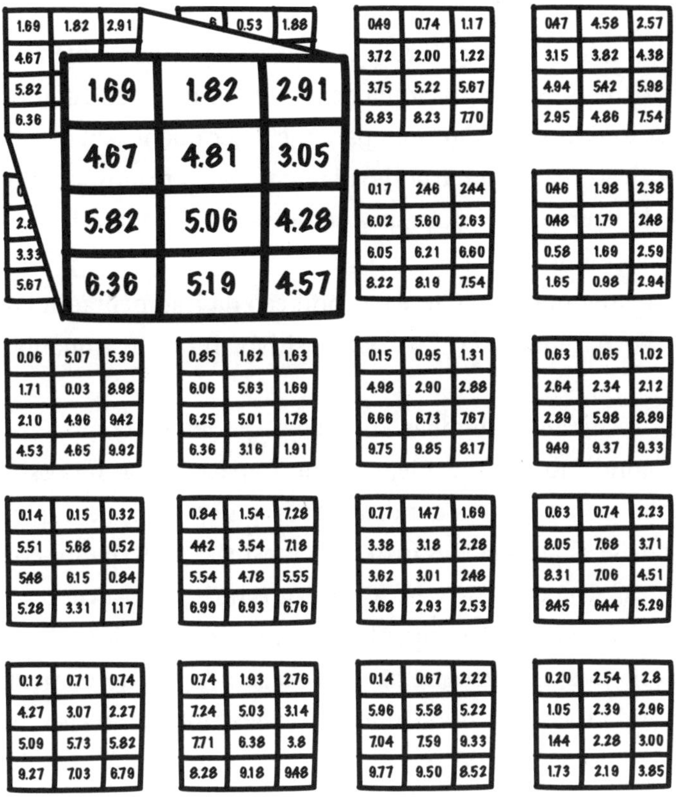

Era assim que o experimento começava para todos os participantes, mas o que acontecia ao final dos cinco minutos diferia conforme a condição específica.

Imagine que você esteja na condição de controle, correndo para solucionar o máximo possível das 20 matrizes. Passado um minuto, solucionou só uma. Mais dois minutos e chega a três. Até que o tempo se esgota e você tem quatro matrizes completadas. Você ganhou 2 dólares. Vai até a mesa da pesquisadora e entrega suas soluções. Após checar suas respostas, ela dá um sorriso de aprovação. "Quatro solucionadas", ela afirma e depois conta o dinheiro. "Aqui está", ela diz, e você vai embora. (As pontuações dos participantes nessa condição de controle nos davam o nível real de desempenho no teste.)

Agora imagine que você está em outro ambiente, chamado de "condição da fragmentadora de papel", em que tem a oportunidade de trapacear. Essa condição se assemelha à de controle, exceto que, esgotados os cinco minutos, a pesquisadora lhe diz: "Agora que você terminou, conte o número de respostas corretas, ponha sua folha de exercícios na fragmentadora no fundo da sala e depois venha até aqui para me dizer quantas matrizes acertou." Nessa condição, você contaria devidamente suas respostas, fragmentaria sua folha de exercícios, informaria seu desempenho, receberia seu pagamento e iria embora.

Se você fosse um participante na condição da fragmentadora de papel, o que faria? Você trapacearia? Em caso positivo, informaria quantas matrizes a mais?

Com os resultados das duas condições, pudemos comparar o desempenho da condição de controle, em que trapacear era impossível, com o desempenho informado na condição da fragmentadora, em que trapacear era possível. Se as pontuações fossem as mesmas, poderíamos concluir que nenhuma trapaça ocorreu. Mas, se víssemos que, estatisticamente falando, as pessoas tiveram um desempenho "melhor" na condição da fragmentadora, poderíamos concluir que haviam exagerado seu desempenho (trapaceado) quando tiveram a oportunidade de destruir os indícios. E o grau da desonestidade desse grupo seria a diferença entre o número de matrizes que afirmaram ter solucionado e o número que os participantes realmente solucionaram na condição de controle.

Talvez um tanto previsivelmente, descobrimos que, dada a oportunidade, muitas pessoas fraudaram sua pontuação. Na condição de controle, os participantes solucionaram uma média de quatro das 20 matrizes. Os participantes na condição da fragmentadora alegaram ter solucionado uma média de seis – duas a mais que na condição de controle. E esse aumento geral não resultou de uns poucos indivíduos que alegaram ter solucionado muitas matrizes a mais, mas de várias pessoas que trapacearam só um pouquinho.

Quanto mais dinheiro, maior a desonestidade?

Munidos dessa quantificação básica da desonestidade, Nina, On e eu estávamos prontos para investigar quais forças motivam as pessoas a trapacear mais ou menos. Segundo o SMORC, as pessoas *deveriam* trapacear mais quando têm uma chance de obter mais dinheiro sem serem pegas ou punidas. Parece simples e intuitivamente convincente, de modo que resolvemos testar essa premissa em seguida.

Montamos outra versão do experimento da matriz, só que agora variamos a quantia de dinheiro que os participantes receberiam por solucionar cada matriz corretamente. Para alguns participantes prometemos 25 centavos. Para outros, 50 centavos, 1 dólar, 2 dólares ou 5 dólares. No nível máximo, prometemos a alguns participantes a quantia generosa de 10 dólares por resposta certa. O que você acha que aconteceu? A desonestidade aumentou com a quantia de dinheiro oferecida?

Antes de divulgar a resposta, gostaria de falar sobre um experimento afim. Nessa ocasião, em vez de se submeterem ao teste da matriz, pedimos a outro grupo de participantes que adivinhasse quantas respostas aqueles na condição da fragmentadora alegariam ter solucionado em cada nível de pagamento. Suas previsões foram de que as alegações de matrizes solucionadas aumentariam à medida que recebessem mais dinheiro por resposta certa. Essencialmente, sua teoria intuitiva foi igual à premissa do SMORC.

Mas estavam errados. Quando olhamos a magnitude da trapaça, constatamos que nossos participantes acrescentaram em média duas questões resolvidas à sua pontuação, independentemente da quantia que poderiam embolsar por cada uma. Na verdade, o grau de trapaça foi ligeiramente *menor* quando prometemos aos nossos participantes o valor máximo de 10 dólares por questão correta.

Por que o nível de trapaça não aumentou com a quantia de dinheiro oferecida? Essa insensibilidade ao valor da recompensa sugere que é mais provável que a desonestidade não seja fruto de uma análise de custo-benefício. Se fosse, o aumento do benefício (a quantia de dinheiro oferecida) levaria a mais trapaça. E por que o nível de trapaça foi menor com o pagamento maior? Suspeito que, quando a quantia de dinheiro que os participantes podiam ganhar por questão foi de 10 dólares, ficou mais difícil para eles trapacearem e continuarem se sentindo bem com seu senso de integridade (voltaremos a isso adiante). A 10 dólares por matriz, não estamos falando de trapacear no nível de, digamos, pegar um lápis do escritório. É mais semelhante a pegar várias caixas de lápis, um grampeador e uma resma de papel, algo bem mais difícil de ignorar ou racionalizar.

Vigilância

Nosso experimento seguinte examinou o que poderia acontecer se os participantes sentissem que havia uma probabilidade maior de serem pegos trapaceando. Basicamente, inserimos o equivalente mental a uma câmera de segurança parcialmente operacional no experimento.

Pedimos a um grupo de participantes que fragmentasse metade de sua folha de exercícios, o que significava que, se fossem desonestos, poderíamos achar algum indício disso. Pedimos a um segundo grupo que fragmentasse a folha inteira, o que significava que poderiam escapar ilesos. Finalmente, pedimos a um terceiro grupo que fragmentasse a folha inteira, saísse da sala de teste e pagasse a si próprio tirando dinheiro de uma grande caixa de dinheiro com mais de 100 dólares em notas de baixo valor e moedas. Nessa condição de pagarem a eles mesmos, os participantes poderiam não apenas trapacear e escapar ilesos, mas pegar um monte de dinheiro extra.

De novo, pedimos a um grupo diferente que previsse quantas questões, em média, os participantes alegariam ter solucionado corretamente em cada condição. Mais uma vez, a previsão foi de que a tendência humana à desonestidade seguiria o SMORC e os participantes alegariam ter solucionado mais matrizes à medida que diminuísse a probabilidade de serem pegos.

O que descobrimos? Novamente, muitas pessoas trapacearam, mas só um pouquinho, e o nível de trapaça foi o mesmo nas três condições (fragmentar metade da folha, fragmentar a folha inteira, fragmentar a folha inteira e pagar a si mesmo).

Agora você talvez queira saber se os participantes de nossos experimentos realmente acreditavam que em nosso ambiente experimental poderiam trapacear sem serem pegos. Para deixar claro que foi isso que ocorreu,

Racheli Barkan (professora da Universidade Ben-Gurion no Neguev, em Israel), Eynav Maharabani (estudante de mestrado que trabalha com Racheli) e eu realizamos outro estudo em que Eynav ou uma auxiliar de pesquisa diferente, Tali, supervisionavam o experimento. Eynav e Tali assemelhavam-se em muitos aspectos, mas Eynav é perceptivelmente cega, o que significava que era mais fácil trapacear quando ela estava no controle. No momento de pegar o dinheiro da pilha colocada na mesa diante da pesquisadora, os participantes podiam apanhar quanto quisessem sem que Eynav percebesse.

Então eles enganaram Eynav em um grau maior? Não. Eles continuaram pegando um pouco mais de dinheiro do que mereciam, mas trapacearam na mesma medida fosse com Tali supervisionando os experimentos, fosse com Eynav.

Isso indica que a probabilidade de ser pego não exerce uma influência substancial sobre o grau de desonestidade. É claro que não estou argumentando que as pessoas não são nada influenciadas pelas chances de serem pegas – afinal, ninguém vai furtar um carro com um policial por perto –, mas os dados mostram que ser pego não tem a influência que tendemos a esperar e certamente não desempenhou um papel em nossos experimentos.

Você pode estar se perguntando se os participantes de nossos experimentos estavam usando a seguinte lógica: "Se eu trapacear em apenas umas poucas questões, ninguém vai suspeitar de mim. Mas, se eu trapacear em mais do que isso, posso levantar suspeitas e alguém poderá me questionar a respeito."

Testamos essa ideia em nosso próximo experimento. Dessa vez, informamos a metade dos participantes que os estudantes naquele teste em geral solucionam cerca de quatro matrizes (o que era verdade). Contamos à outra metade que os estudantes em geral solucionam umas oito matrizes. Por que fizemos isso? Porque, se o nível de desonestidade se baseia no desejo de não se destacar, nossos participantes trapaceariam nas duas condições em umas poucas matrizes além do que acreditavam ser o desempenho médio (significando que alegariam ter solucionado cerca de seis matrizes quando achassem que a média fosse quatro e cerca de 10 matrizes quando achassem que a média fosse oito).

Então como se comportaram nossos participantes que acharam que os outros solucionaram mais matrizes? Não foram nem um pouco influenciados por tal conhecimento. Trapacearam em cerca de duas respostas extras (em média, solucionaram quatro e informaram que haviam solucionado seis) independentemente de acharem que os outros solucionaram em média quatro ou oito matrizes.

Esse experimento indica que a desonestidade não é influenciada pelo temor de se destacar. Em vez disso, mostra que a percepção de nossa própria moralidade está ligada ao grau de desonestidade com que nos sentimos à vontade. Em essência, trapaceamos até o nível que nos permite conservar nossa autoimagem de indivíduos razoavelmente honestos.

Na natureza selvagem

Equipados com esses indícios iniciais contra o SMORC, Racheli e eu decidimos sair do laboratório e nos aventurar em um ambiente mais natural. Queríamos examinar situações comuns com que alguém pudesse se deparar num dia qualquer. E queríamos testar "pessoas comuns" em vez de apenas estudantes.

Outro componente ausente em nosso paradigma experimental até aquele ponto era a oportunidade de os indivíduos se comportarem de formas positivas e benevolentes. Em nossos experimentos de laboratório, o melhor que os participantes podiam fazer era não trapacear. Mas, em muitas situações da vida real, as pessoas podem exibir comportamentos que são não apenas neutros, mas também caridosos e generosos. Com essa nuance adicional em mente, buscamos situações que nos permitissem testar tanto o lado negativo quanto o positivo da natureza humana.

Imagine um grande mercado agrícola ocupando toda a extensão de uma rua. O mercado está localizado no coração de Be'er Sheva, uma cidade no sul de Israel. O dia está quente e centenas de mercadores dispuseram suas mercadorias diante das lojas, que ocupam ambos os lados da rua.

Eynav e Tali adentraram o mercado e tomaram direções distintas, sendo que Eynav usava uma bengala branca para percorrer o estabelecimento. Cada uma abordou uns poucos vendedores de legumes e pediu que cada um separasse 2 quilos de tomate enquanto iria resolver outra coisa. Uma vez feito o pedido, afastavam-se por 10 minutos, voltavam para pegar seus tomates, pagavam e iam embora. Dali, levavam os tomates a outro vendedor na extremidade do mercado que concordara em julgar a qualidade do produto de cada vendedor. Comparando a qualidade dos tomates vendidos para Eynav e Tali, poderíamos descobrir quem recebeu os melhores frutos e quem recebeu os piores.

Teria Eynav sido enganada? Lembre-se de que, de uma perspectiva puramente racional, faria sentido para o vendedor escolher os piores tomates para ela. Afinal, ela não poderia se beneficiar de sua qualidade estética. Um economista tradicional, digamos, da Universidade de Chicago poderia até argumentar que, no esforço por maximizar o bem-estar social de todos os envolvidos (o vendedor, Eynav e os outros consumidores), o vendedor deveria ter vendido os tomates em pior estado, mantendo os bonitos para pessoas que pudessem desfrutar daquele aspecto dos tomates.

Ao que se revelou, a qualidade visual dos tomates escolhidos para Eynav não foi pior. Na verdade, foi melhor que a dos escolhidos para Tali. Os vendedores se esforçaram, com algum custo para seu negócio, para escolher o produto de melhor qualidade para uma freguesa cega.

Diante desses otimistas, voltamo-nos em seguida para outra profissão que costuma ser vista com grande suspeita: taxistas. No mundo dos táxis, existe um golpe popular que é fazer um percurso mais longo quando os passageiros não conhecem o caminho até seu destino, às vezes aumentando muito a tarifa. Por exemplo, um estudo com taxistas em Las Vegas constatou que alguns profissionais vão do Aeroporto Internacional McCarran até a Strip pegando um túnel até a interestadual 215, o que pode resultar numa tarifa de 92 dólares para o que deveria ser um percurso de pouco mais de 3 quilômetros.[1]

Dada a reputação dos taxistas, é de perguntar se eles trapaceiam de forma geral e se estariam mais propensos a enganar aqueles que não conseguem detectar suas trapaças. Em nosso próximo experimento, pedimos que Eynav e Tali pegassem um táxi entre a estação de trem e a Universidade Ben-Gurion do Neguev 20 vezes, nas duas direções. A forma de trabalho dos taxistas nessa rota específica é a seguinte: se você pede que o motorista ligue o taxímetro, a tarifa fica em uns 25 novos shekels israelenses, ou NIS (uns 7 dólares). Porém, usa-se uma tarifa fixa costumeira de 20 NIS (uns 5,50 dólares) se o taxímetro não for ativado.

Em nosso cenário, tanto Eynav quanto Tali sempre pediam que o taxímetro fosse ativado. Às vezes os motoristas avisavam às passageiras "amadoras" que ficaria mais barato não ativar o taxímetro. Mesmo assim, as duas sempre insistiam em ter o taxímetro ativado. Ao final da corrida, Eynav e Tali perguntavam quanto deviam, pagavam, saíam do táxi e esperavam alguns minutos até pegar outro táxi para voltar ao local de onde tinham acabado de sair.

Olhando os preços cobrados, constatamos que Eynav pagou menos que Tali, apesar de ambas insistirem em pagar pelo taxímetro. Como isso foi possível? Uma possibilidade seria que os motoristas tivessem levado Eynav pela rota mais curta e barata e Tali por um percurso maior. Nesse caso, os motoristas não haviam enganado Eynav, mas haviam enganado Tali em certo grau. Eynav, no entanto, teve uma explicação diferente para os resultados. "Ouvi os taxistas ativarem o taxímetro quando pedi", nos contou ela, "porém, mais tarde, antes de chegarmos ao destino, ouvi muitos deles desligarem o aparelho para que a tarifa ficasse perto dos 20 NIS." "Isso com certeza não aconteceu comigo", disse Tali. "Eles nunca desligaram o taxímetro e eu sempre acabei pagando cerca de 25 NIS."

Existem dois aspectos importantes nesses resultados. Primeiro, está claro que os taxistas não realizaram uma análise de custo-benefício a fim de otimizar suas receitas. Se tivessem realizado, teriam enganado mais Eynav, informando uma leitura maior do taxímetro ou dando voltas pela cidade por algum tempo. Segundo, os taxistas fizeram mais que simplesmente não trapacear. Levaram o interesse de Eynav em conta e sacrificaram parte de sua receita em benefício dela.

Margem de manobra

Certamente existem muito mais coisas acontecendo aqui do que Becker e a economia-padrão querem que a gente acredite. Para começar, a descoberta de que o nível de desonestidade não é influenciado em alto grau (em nenhum grau em nossos experimentos) pela quantia de dinheiro a ser ganha sendo desonesto indica que a trapaça não resulta da simples análise dos seus custos e benefícios. Além disso, os resultados mostrando que o nível de desonestidade não é alterado por mudanças na probabilidade de ser pego tornam ainda menos provável que ela esteja enraizada na análise de custo-benefício. Finalmente, o fato de muitas pessoas trapacearem só um pouquinho dada a oportunidade indica que as forças que governam a desonestidade são bem mais complexas (e mais interessantes) do que prevê o Modelo Simples do Crime Racional.

Então, quais seriam essas forças?

Gostaria de propor uma teoria que passaremos grande parte deste livro examinando. Em poucas palavras, a tese central é que nosso comportamento é regido por duas motivações opostas. Por um lado, queremos nos ver como gente honrada. Queremos poder nos olhar no espelho e nos sentir bem com nós mesmos. Por outro lado, desejamos nos beneficiar da trapaça e obter o máximo de dinheiro possível (essa é a motivação financeira padrão). Claramente essas duas motivações estão em conflito. Como podemos assegurar os benefícios da desonestidade e, ao mesmo tempo, ainda nos enxergar como pessoas honestas?

É aqui que nossa incrível flexibilidade cognitiva entra em jogo. Graças a essa habilidade humana, contanto que a gente trapaceie só um pouquinho, podemos nos beneficiar da trapaça e continuar nos vendo como seres humanos maravilhosos. Esse exercício de equilíbrio é o processo de racionalização, a base do que chamamos de "teoria da margem de manobra".

Para lhe dar uma compreensão melhor dessa teoria, digamos que você vai a um restaurante com amigos e eles lhe pedem que fale mais sobre um projeto de trabalho ao qual vem dedicando muito tempo. Feito isso, agora é aceitável que o jantar passe a contar como uma despesa da empresa? Provavelmente não. Mas e se a refeição ocorresse durante uma viagem de negócios ou você estivesse esperando que um de seus companheiros de jantar se tornasse um cliente no futuro próximo?

Se você já fez concessões desse tipo, também esteve brincando com as fronteiras flexíveis de sua ética. Em suma, acredito que todos nós constantemente tentamos identificar o limite em que podemos nos beneficiar da desonestidade sem danificar nossa autoimagem. Como escreveu certa vez Oscar Wilde: "A moralidade, como a arte, significa traçar uma linha em algum ponto." A questão é: onde está a linha?

Acredito que Jerome K. Jerome acertou em cheio no seu romance de 1889, *Três homens num barco*, que conta uma história envolvendo um dos tópicos mais famosos pelas mentiras: a pescaria. Eis o que ele escreveu:

> Conheci certa vez um jovem que era um sujeito bem escrupuloso e, quando ia pescar com vara, decidia nunca exagerar seu pescado em mais de 25%.
> – Quando tiver pescado 40 peixes – disse ele –, contarei às pessoas que pesquei 50, e assim por diante. Mas não mentirei mais do que isso, porque é pecado mentir.

Embora a maioria das pessoas não tenha conscientemente descoberto (e muito menos anunciado) sua taxa aceitável de mentira como aquele jovem, essa abordagem geral parece bem realista. Cada um de nós tem um limite de quanto podemos trapacear antes que se torne "pecaminoso".

Tentar descobrir o funcionamento interno da margem de manobra – o equilíbrio delicado entre os desejos contraditórios de manter uma autoimagem positiva e se beneficiar da trapaça – será nosso foco a seguir.

2

A MARGEM DE MANOBRA NA PRÁTICA

Uma piadinha para você:
O menino Jimmy, de 8 anos, volta da escola com o seguinte bilhete da professora: "Jimmy roubou um lápis do colega que senta ao seu lado." O pai de Jimmy fica furioso. Ele o repreende, deixando claro como está chateado e decepcionado, e pune o menino, colocando-o de castigo por duas semanas. Por fim, conclui: "Poxa, Jimmy, se você precisava de um lápis, por que não disse para a gente? Por que não pediu? Você sabe muito bem que posso pegar um monte de lápis do trabalho."

Se vemos alguma graça nessa anedota, é porque reconhecemos a complexidade da desonestidade humana inerente a todos nós. Percebemos que um menino furtar um lápis de um colega é definitivamente motivo de punição, mas estamos dispostos a pegar vários lápis da empresa em que trabalhamos sem pensar duas vezes.

Para nós – Nina, On e eu –, essa piadinha sugere a possibilidade de que certos tipos de atividade relaxariam mais nossos padrões morais. Talvez, nós pensamos, se ampliássemos a distância psicológica entre um ato desonesto e suas consequências, a margem de manobra aumentaria e nossos participantes trapaceariam mais. É claro que encorajar os outros a trapacear mais não é algo que desejamos promover em geral. Mas, no intuito de estudar e entender a desonestidade, queríamos ver quais tipos de situação e intervenção poderiam afrouxar os padrões morais das pessoas.

Para testar essa ideia, primeiro experimentamos uma versão universitária da piada do lápis: um dia, entrei furtivamente num alojamento de estudantes do MIT e lancei em muitas geladeiras comunitárias uma de duas iscas tentadoras. Em metade das geladeiras, coloquei seis latas de Coca-Cola. Nas outras, enfiei um prato de papel com seis notas de 1 dólar. Retornei de tempos em tempos para checar as geladeiras e medir o que, em termos científicos, chamamos de meia-vida da Coca e do dinheiro.

Como quem já esteve num alojamento estudantil provavelmente consegue adivinhar, em 72 horas todas as Cocas haviam sumido, porém o mais interessante foi que ninguém tocou nas notas. Ora, os estudantes poderiam ter pegado uma nota de 1 dólar, caminhado até a máquina automática mais próxima e obtido uma Coca e algum troco, mas ninguém fez isso.

Devo admitir que esse não é um experimento científico muito bom, já que estudantes com frequência veem latas de refrigerante na geladeira, ao passo que descobrir nela um prato com umas poucas notas de 1 dólar é bem incomum. Mas esse pequeno teste indica que nós, seres humanos, estamos prontos e dispostos a furtar algo que não faça alusão explícita a um valor monetário. No entanto, evitamos furtar dinheiro diretamente num grau que orgulharia mesmo o mais devoto professor de escola dominical. De forma semelhante, poderíamos pegar algumas folhas de papel no trabalho para usar na impressora de casa, mas seria bastante improvável que viéssemos a pegar dinheiro da caixinha para pequenas despesas, ainda que usássemos o dinheiro na mesma hora para comprar papel para nossa impressora doméstica.

A fim de examinar de forma mais controlada a distância entre o dinheiro e sua influência sobre a desonestidade, criamos outra versão do experimento da matriz, dessa vez incluindo uma condição em que trapacear estava a um passo a mais de distância do dinheiro.

Como em nossos experimentos anteriores, os participantes da condição da fragmentadora de papel tinham a oportunidade de trapacear destruindo sua folha de exercícios e mentindo sobre o número de matrizes que solucionaram. Quando os participantes terminavam a tarefa, destruíam sua folha, se aproximavam da pesquisadora e diziam: "Solucionei X matrizes. Por favor, me dê X dólares."

A inovação nesse experimento foi a condição de "ficha". A condição de ficha era semelhante à condição da fragmentadora, com a exceção de que os participantes recebiam como pagamento fichas de plástico em vez de dólares. Depois que terminavam de fragmentar sua folha de exercícios, eles se aproximavam da pesquisadora e diziam: "Solucionei X matrizes. Por favor, me dê X fichas." Uma vez recebidas suas fichas, caminhavam 4 metros até uma mesa próxima, onde entregavam as fichas e recebiam o dinheiro.

Constatamos que aqueles que mentiram por fichas trapacearam cerca de duas vezes mais do que aqueles que estavam mentindo diretamente por dinheiro. Confesso que, embora esperasse que os participantes da condição da ficha trapaceassem mais, fiquei surpreso com o aumento, e só por estarem a um pequeno passo de distância do dinheiro. O fato é que as pessoas tendem a ser mais desonestas na presença de objetos não monetários – como lápis e fichas – do que de dinheiro vivo.

Depois de todas as pesquisas que fiz ao longo dos anos, a ideia que mais me preocupa é que quanto mais desmonetizada se torna nossa sociedade, mais nossa bússola moral vacila. Se estar a apenas um passo de distância do dinheiro pode aumentar a desonestidade a esse ponto, imagine o que pode acontecer à medida que usamos cada vez menos dinheiro em espécie para realizar transações. Será que, de uma perspectiva moral, roubar um número de cartão de crédito é bem menos difícil do que roubar cédulas da carteira de alguém? É claro que usar dinheiro digital (como cartão de débito ou crédito) traz muitas vantagens, mas poderia também nos separar até certo ponto da realidade de nossas ações.

Se estar a um passo de distância do dinheiro libera as pessoas de parte de seus grilhões morais, o que acontecerá quando cada vez mais atividades bancárias forem realizadas on-line? Como nossa moralidade pessoal e social será afetada conforme os produtos financeiros se tornem mais obscuros e menos claramente relacionados ao dinheiro (pense, por exemplo, nas opções de ações e em outras aplicações financeiras)?

Algumas empresas já sabem disso

Como cientistas, tivemos grande cuidado em documentar, mensurar e examinar a influência de estar a um passo de distância do dinheiro. Mas receio que algumas empresas intuitivamente entendam esse princípio, usando-o em proveito próprio. Vejamos, por exemplo, esta carta que recebi de um jovem consultor:

Caro Dr. Ariely,
Eu me formei alguns anos atrás em economia numa faculdade de prestígio e hoje trabalho numa empresa de consultoria econômica que presta serviços a escritórios de advocacia.

O motivo pelo qual decidi entrar em contato é que venho observando um fenômeno muito bem documentado de exagerar as horas faturáveis por consultores econômicos. Do pessoal do alto escalão até o analista de nível mais baixo, a estrutura de incentivos para os consultores encoraja essa fraude: ninguém confere quanto cobramos por uma tarefa atribuída; não existem diretrizes claras sobre o que é aceitável; e, se nosso faturamento é o menor dentre os colegas analistas, corremos maior risco de ser demitidos. Esses fatores criam um ambiente perfeito para a desonestidade desenfreada.

Os próprios advogados recebem uma boa parcela de cada hora que faturamos, por isso não se importam se levamos mais tempo para terminar um projeto. Embora os advogados recebam certo incentivo para manter os custos baixos e assim não enfurecer os clientes, muitas das análises que realizamos são bem difíceis de avaliar. Os advogados sabem disso e parecem usá-lo a seu favor. Na verdade, estamos trapaceando em benefício deles: conseguimos manter nosso emprego e eles conseguem manter um lucro adicional.

Aqui estão alguns exemplos específicos de como a trapaça é realizada em minha empresa:

- *Estávamos nos aproximando de um prazo e trabalhando muitas horas por dia. O orçamento não parecia ser um problema e, quando perguntei quanto do meu dia deveria faturar, minha chefe (uma gerente de projeto de nível médio) sugeriu que eu pegasse o tempo total que ficava no escritório e subtraísse duas horas, uma para o almoço e uma para o jantar. Eu disse que havia feito uma série de outras pausas enquanto o servidor estava executando meus programas e ela respondeu*

que eu poderia considerá-las uma pausa para a saúde mental que promoveria uma maior produtividade mais tarde.
- *Um colega se recusou veementemente a superfaturar e, em consequência, sua taxa de faturamento geral foi uns 20% menor que a média. Achei sua honestidade admirável, mas, quando chegou a hora de cortar pessoas, ele foi o primeiro a ser demitido. Que tipo de mensagem essa demissão passa para o restante de nós?*
- *Uma pessoa fatura cada hora em que está monitorando seu e-mail por conta de um projeto, quer receba ou não algum trabalho para fazer. Ela diz que está "de sobreaviso".*
- *Um sujeito trabalha de casa com frequência e costuma faturar um bocado, mas, quando está no escritório da empresa, parece nunca ter trabalho para fazer.*

Esses exemplos se sucedem. Não há dúvida de que sou cúmplice desse comportamento, mas enxergá-lo com mais clareza me faz querer resolver os problemas. Você tem algum conselho? O que faria na minha situação?

Atenciosamente,
Jonah

Infelizmente, os problemas que Jonah observou são corriqueiros e um exemplo direto de como pensamos sobre nossa moralidade. Eis outra maneira de refletir sobre a questão: certa manhã, descobri que alguém quebrara o vidro do meu carro e furtara meu sistema de GPS portátil. Fiquei aborrecido, mas, em termos do impacto econômico sobre meu futuro financeiro, aquele crime teve um efeito bem pequeno. Por outro lado, pense em quanto dinheiro meus advogados, gerentes de investimentos, corretores de seguros e outros provavelmente tiram de mim (e de todos nós) no decorrer dos anos ao superfaturarem, acrescentarem taxas ocultas e assim por diante. Cada uma dessas ações em si não é tão significativa do ponto de vista financeiro, mas juntas valem bem mais do que uns poucos dispositivos de navegação. Ao mesmo tempo, desconfio que, ao contrário da pessoa que levou meu GPS, esses transgressores de colarinho-branco se julgam pessoas de moral elevada porque suas ações são relativamente pequenas e, o mais importante, estão a vários passos de distância do meu bolso.

A boa notícia é que, depois que entendemos como nossa desonestidade aumenta quando estamos a um ou mais passos de distância do dinheiro, podemos tentar esclarecer e enfatizar os vínculos entre nossas ações e as pessoas que elas podem afetar. Ao mesmo tempo, é possível tentar encurtar a distância entre nossas ações e o dinheiro em questão. Tomando tais medidas, nós nos tornaremos mais conscientes das consequências do que fazemos e, com essa percepção, seremos capazes de aumentar nossa honestidade.

LIÇÕES DOS CHAVEIROS

Não faz muito tempo, um aluno me contou uma história que capta bem nossos esforços equivocados para reduzir a desonestidade.

Um dia, Peter se viu trancado fora de casa e saiu em busca de um chaveiro. Levou algum tempo até achar um que tivesse certificação municipal para destrancar portas. O chaveiro enfim estacionou seu furgão e arrombou a fechadura em cerca de um minuto.

"Fiquei admirado com a rapidez e a facilidade com que aquele sujeito conseguiu abrir a porta", Peter me falou. Depois, repassou uma pequena lição de moralidade que aprendeu naquele dia.

Em reação ao espanto de Peter, o chaveiro contou que as trancas nas portas existem apenas para que as pessoas honestas continuem honestas. "Um por cento das pessoas sempre será honesto e nunca roubará", disse o chaveiro. "Outro um por cento sempre será desonesto e tentará arrombar sua tranca e furtar sua televisão. E as demais serão honestas desde que as condições sejam propícias – mas, se forem suficientemente tentadas, serão desonestas também. As trancas não vão protegê-lo dos ladrões, que conseguem entrar na sua casa se de fato quiserem. Só o protegerão das pessoas predominantemente honestas que poderiam ser tentadas a abrir sua porta destrancada."

Após refletir sobre essas observações, concluí que o chaveiro poderia estar certo. Não é que 98% das pessoas sejam imorais ou trapaceiem sempre que surge a oportunidade. É mais provável que a maioria de nós precise de pequenos lembretes para se manter no caminho certo.

Como fazer com que as pessoas trapaceiem menos

Após descobrir como a margem de manobra funciona e como expandi-la, em nosso próximo passo queríamos saber se conseguiríamos reduzir a margem de manobra e fazer com que as pessoas trapaceassem menos. Essa ideia também foi inspirada por uma piadinha:

Um homem visivelmente aborrecido vai ver seu rabino um dia e diz:

– Rabino, você não vai acreditar no que aconteceu comigo. Semana passada alguém roubou minha bicicleta na sinagoga.

O rabino fica abalado também, mas, após pensar por um instante, oferece uma solução:

– Na próxima semana, venha ao culto religioso, sente-se na primeira fila e, quando recitarmos os Dez Mandamentos, vire-se e olhe para as pessoas atrás de você. Quando chegarmos em "Não roubarás", veja quem não conseguirá olhá-lo nos olhos. Ele será o ladrão.

O rabino fica muito satisfeito com sua sugestão, assim como o homem.

No próximo culto, o rabino fica curioso para saber se seu conselho deu resultado. Ele aguarda o homem na porta da sinagoga e pergunta:

– E aí, funcionou?

– Perfeitamente – responde o homem. – No momento em que chegamos ao "Não cometerás adultério", lembrei onde deixei minha bicicleta.

O que essa anedota sugere é que nossa lembrança e nossa consciência dos códigos morais (como os Dez Mandamentos) podem ter um efeito sobre como enxergamos nosso comportamento.

Inspirados pela lição por trás dessa história, Nina, On e eu realizamos um experimento na Universidade da Califórnia em Los Angeles (UCLA). Pegamos um grupo de 450 participantes e os dividimos em dois grupos. Pedimos a metade deles que tentassem se lembrar dos Dez Mandamentos e depois os induzimos a trapacear no nosso teste da matriz. Pedimos à outra metade que tentasse se lembrar de 10 livros lidos no ensino médio antes de os liberarmos para as matrizes e a oportunidade de trapacear.

No grupo que se lembrou dos 10 livros, vimos a típica trapaça generalizada porém moderada. Por outro lado, no grupo instruído a se recordar dos Dez Mandamentos, não observamos nenhuma desonestidade. E isso apesar do fato de que ninguém no grupo conseguiu se lembrar de todos os dez.

Esse resultado foi bem intrigante. Parecia que simplesmente tentar se lembrar de padrões morais já era suficiente para melhorar a conduta moral. Em outra tentativa de testar esse efeito, pedimos a um grupo de ateus declarados que jurassem sobre a Bíblia e depois demos a oportunidade de reivindicarem rendimentos extras no teste da matriz. O que os ateus fizeram? Não se desviaram do caminho estreito e moralmente correto.

ROUBO DE PAPEL HIGIÊNICO

Alguns anos atrás, recebi uma carta de uma mulher chamada Rhonda, que estudava na Universidade da Califórnia em Berkeley. Ela me contou um problema que tivera em casa e como um pequeno lembrete ético a ajudou a solucioná-lo.

Ela estava morando perto do campus com várias outras pessoas – todas desconhecidas. Quando o pessoal da limpeza vinha no fim de semana, deixava muitos rolos de papel higiênico em cada um dos dois banheiros. Entretanto, nas segundas-feiras todo o papel higiênico tinha sumido. Uma situação clássica da tragédia dos bens comuns: como algumas pessoas se apropriavam do papel higiênico e pegavam mais do que sua parcela justa, o recurso público era destruído para todos os demais.

Após ler sobre o experimento dos Dez Mandamentos no meu blog, Rhonda afixou um bilhete em um dos banheiros pedindo às pessoas que não retirassem o papel higiênico, porque era um bem compartilhado. Para sua satisfação, um rolo reapareceu em poucas horas e outro no dia seguinte. O outro banheiro sem o bilhete, porém, ficou sem papel higiênico até o fim de semana seguinte, quando o pessoal da limpeza retornou.

Esse experimento simples demonstra como lembretes pequenos podem nos ajudar a manter nossos padrões éticos – e, nesse caso, um banheiro plenamente abastecido.

Esses experimentos indicam que nossa disposição e nossa tendência a trapacear podem diminuir se recebermos lembretes dos padrões éticos. Mas, embora usar os Dez Mandamentos e a Bíblia como mecanismos de promoção da honestidade pudesse ser útil, introduzir preceitos religiosos na sociedade numa escala maior como meio de reduzir a desonestidade não é muito prático (sem falar no fato de que violaria a separação entre Igreja e Estado). Assim, começamos a pensar em meios mais gerais, práticos e seculares de reduzir a margem de manobra, o que nos levou a testar os códigos de honra já em uso em muitas universidades.

Para descobrir se eles funcionam, pedimos a um grupo de estudantes do MIT e de Yale que assinassem um desses códigos imediatamente antes de darmos, a metade deles, a chance de trapacear no teste da matriz.

A frase dizia: "Entendo que este experimento se enquadra nas diretrizes do código de honra do MIT/de Yale." Os estudantes que não tiveram de assinar a declaração trapacearam um pouco, mas os estudantes do MIT e de Yale que assinaram não trapacearam nem um pouco. E isso apesar do fato de que nenhuma das duas universidades possuía um código de honra (foi mais ou menos como o efeito que jurar sobre a Bíblia teve em ateus declarados).

Descobrimos que um código de honra funcionava em universidades que não possuem essa diretriz, mas e nas universidades com um forte código de honra? Seus alunos trapaceariam menos o tempo todo? Ou só trapaceariam menos se assinassem a declaração? Felizmente, na época eu estava passando algum tempo no Instituto de Estudos Avançados da Universidade de Princeton, que era perfeita para testar essa ideia.

Princeton possui um sistema de honra rigoroso que existe desde 1893. Os calouros recebem uma cópia da Constituição do Código de Honra e uma carta do Comitê de Honra sobre o sistema de valores da instituição, que precisam assinar antes de se matricular. Eles também assistem a palestras obrigatórias sobre a importância do código de honra durante a primeira semana na faculdade. Após as palestras, os novos alunos de Princeton discutem ainda mais o sistema com o grupo orientador do seu alojamento. Como se tudo isso não bastasse, uma das bandas musicais do campus, o Triangle Club, executa sua "Canção do Código de Honra" para a nova turma.

No resto de seu tempo em Princeton, os estudantes são repetidamente lembrados desse regulamento: eles assinam um código de honra ao final de cada artigo que submetem ("Este artigo representa meu próprio trabalho de acordo com o regramento da universidade"). Também assinam outro juramento a cada exame ou teste ("Juro não ter violado o código de honra durante este exame") e recebem lembretes semestrais do Comitê de Honra por e-mail.

Para ver se o curso intensivo de moralidade de Princeton tem um efeito de longo prazo, aguardei duas semanas depois que os calouros terminaram seu treinamento em ética antes de induzi-los a trapacear – dando-lhes as mesmas oportunidades dos estudantes do MIT e de Yale (que não têm código de honra nem um curso de uma semana sobre honestidade acadêmica). Os estudantes de Princeton, recém-saídos de sua imersão no código de honra, seriam mais honestos quando realizassem o teste da matriz?

Infelizmente, não foram. Quando se pediu que os estudantes de Princeton assinassem o código de honra, eles não trapacearam (assim como os alunos do MIT e de Yale). Porém, quando não precisaram assinar nada, trapacearam tanto quanto seus pares nas outras universidades. Parece que o curso intensivo, a propaganda sobre moralidade e a existência de um código de honra não tiveram uma influência duradoura sobre a integridade moral dos estudantes de Princeton.

Esses resultados são deprimentes e promissores ao mesmo tempo. Vendo pelo lado deprimente, parece que é bem difícil alterar nosso comportamento para que nos tornemos mais éticos e que um curso intensivo sobre moralidade não é suficiente. (Suponho que essa ineficiência se aplique também a grande parte do treinamento ético que ocorre em empresas, outras universidades e escolas de negócios.) Em termos mais gerais, tudo indica que é um desafio criar uma mudança cultural de longo prazo quando se trata de ética.

Vendo pelo lado promissor, parece que, quando somos simplesmente lembrados dos padrões éticos, nós nos comportamos de forma mais honrada. Ainda melhor: descobrimos que o método de assinar o lembrete do código de honra funciona tanto quando existe um custo claro e substancial para a desonestidade (que, no caso de Princeton, pode implicar expulsão) como quando não existe um custo específico (como no MIT e em Yale). A boa notícia é que as pessoas parecem querer ser honestas, o que sugere que talvez fosse sensato incorporar lembretes morais às situações que nos induzem à desonestidade.*

---

* Uma questão importante sobre o emprego de lembretes morais é se, com o tempo, as pessoas se acostumarão a assinar tais códigos de honra, fazendo com que os lembretes percam a eficácia. Por isso, acho que a abordagem correta é pedir às pessoas que escrevam as próprias versões do código de honra. Assim será difícil assinar sem pensar sobre moralidade, o que induz um comportamento mais ético.

* * *

Um professor da Universidade Estadual Middle Tennessee ficou tão farto da desonestidade entre seus alunos do MBA que decidiu empregar um código de honra mais drástico. Inspirado por nosso experimento dos Dez Mandamentos e seu efeito sobre a honestidade, Thomas Tang pediu a seus alunos que assinassem um código de honra afirmando que não colariam em uma prova. O juramento também dizia que eles "se arrependeriam pelo resto da vida e iriam para o inferno" se trapaceassem.

Os alunos, que não necessariamente acreditavam no inferno ou concordavam que iriam para lá, ficaram revoltados. A polêmica foi grande e Tang recebeu muitas críticas por sua iniciativa, tendo que voltar ao velho juramento sem o inferno.

Mesmo assim, imagino que, em sua breve existência, essa versão extrema do código de honra exerceu um forte efeito sobre os alunos. Também acho que a indignação dos estudantes indica quão eficaz pode ser esse tipo de juramento. O futuro homem ou a futura mulher de negócios devem ter sentido que as apostas eram bem altas, caso contrário não teriam se importado tanto.

Imagine que você seja confrontado por um juramento desse tipo. Acha que se sentiria à vontade ao assiná-lo? Assinar o documento influenciaria seu comportamento? E se você tivesse que assinar algo assim logo antes de preencher seu relatório de despesas para a empresa em que trabalha?

LEMBRETES RELIGIOSOS

A possibilidade de usar símbolos da religião como meio de aumentar a honestidade não passou despercebida aos sábios religiosos. Existe uma história no Talmude sobre um homem devoto que fica desesperado por sexo e procura uma prostituta. É claro que sua religião não tolera isso, mas, no momento, ele sente que tem necessidades mais prementes. Uma vez a sós com a prostituta, começa a se despir. Ao tirar a camisa, vê as franjas do seu *talit* (manto judeu usado nas orações), recorda-se de suas *mitzvot* (obrigações religiosas) e rapidamente dá meia-volta, deixando o quarto sem violar seus padrões religiosos.

Aventuras com a Receita Federal

Usar códigos de honra para refrear a desonestidade em uma universidade é uma coisa, mas será que lembretes morais desse tipo também funcionariam para outros tipos de fraude e em ambientes não acadêmicos? Poderiam ajudar a impedir a trapaça, digamos, na declaração de imposto de renda e em pedidos de indenização de seguros? Foi o que Lisa Shu (doutoranda em Harvard), Nina Mazar, Francesca Gino (professora em Harvard), Max Bazerman (professor em Harvard) e eu decidimos testar.

Começamos reestruturando nosso experimento da matriz-padrão para lembrar um pouco a declaração de imposto de renda. Depois que terminavam de resolver o teste da matriz e fragmentar a folha, pedíamos aos participantes que anotassem o número de questões resolvidas em um formulário baseado no modelo mais simples para declaração de imposto de renda usado nos Estados Unidos. Para dar a impressão de que estavam preenchendo um formulário fiscal real, o texto afirmava que sua renda seria tributada a uma taxa de 20%.

Na primeira seção do formulário, os participantes tinham que informar sua "renda" (o número de matrizes solucionadas corretamente). Depois havia uma seção para despesas de viagem, em que os participantes poderiam ser reembolsados em 10 centavos por minuto de tempo de viagem (até o máximo de duas horas, ou 12 dólares) e pelo custo direto de seu transporte (até 12 dólares). Essa parte do pagamento estava isenta de impostos (como uma despesa de negócios). Solicitava-se então aos participantes que somassem todos os números e chegassem ao pagamento líquido final.

Houve duas condições nesse experimento: alguns dos participantes preencheram o formulário inteiro e assinaram no final, como é típico em formulários oficiais. Nessa condição, a assinatura funcionava como confirmação das informações no formulário. Na segunda condição, os participantes assinavam o formulário primeiro e só depois o preenchiam. Foi nossa condição de "lembrete moral".

O que descobrimos? Os participantes na condição de assinar no final trapacearam acrescentando cerca de quatro matrizes extras à própria pontuação. E aqueles que assinaram antes? Quando a assinatura funcionou como lembrete moral, os participantes alegaram somente uma matriz extra. Não sei como você se sente em relação ao acréscimo de "apenas" uma matriz – afinal, ainda é fraude –, mas, dado que a única diferença entre essas duas condições foi a localização da linha de assinatura, vejo esse como um meio promissor de reduzir a desonestidade.

Nossa versão do formulário do imposto de renda também nos permitia examinar os pedidos de reembolso dos gastos de deslocamento. Ora, não sabíamos quanto tempo os participantes realmente gastaram se deslocando, mas, se presumíssemos que, por conta da randomização, o tempo de viagem médio era basicamente o mesmo nas duas condições, poderíamos ver em qual condição os participantes alegaram maiores despesas de viagem. O que vimos foi que o valor nos pedidos de reembolso de viagem seguiu o mesmo padrão: aqueles na condição da assinatura no final declararam despesas de deslocamento de 9,62 dólares em média, ao passo que aqueles na condição do lembrete moral (assinatura no início) declararam despesas de viagem de 5,27 dólares em média.

Diante de nossos indícios de que, quando as pessoas assinam seus nomes em algum tipo de juramento tendem a ser mais honestas (ao menos temporariamente), abordamos a Receita Federal americana, achando que o Tio Sam ficaria contente em conhecer meios de aumentar a receita dos impostos. A interação com a Receita foi mais ou menos assim:

> EU: No momento em que os contribuintes acabam de preencher todos os dados no formulário, é tarde demais. A fraude está feita e ninguém vai dizer: "Ah, preciso assinar este negócio. Vou voltar para dar respostas honestas." Entende? Se as pessoas assinam antes de preencher quaisquer dados no formulário, fraudam menos. Vocês precisam exigir uma assinatura no alto do formulário, que lembrará a todos que devem dizer a verdade.
> RECEITA: Sim, isso é interessante. Mas seria ilegal pedir às pessoas que assinassem no alto do formulário. A assinatura precisa confirmar a exatidão das informações fornecidas.
> EU: Que tal pedir que as pessoas assinem duas vezes? Uma vez no alto e outra vez no final? Desse modo, a assinatura no alto funcionaria

como uma promessa – lembrando às pessoas seu patriotismo, sua integridade moral – e a assinatura no final seria para confirmação.
RECEITA: Bem, isso seria confuso.
EU: Você examinou o código tributário ou os formulários de imposto de renda recentemente?
RECEITA: [*Nenhuma reação.*]
EU: Outra sugestão: e se o primeiro item do formulário do imposto de renda perguntasse se o contribuinte gostaria de doar 25 dólares a uma força-tarefa para combater a corrupção? Independentemente da resposta específica, a pergunta forçará as pessoas a examinar sua posição sobre a honestidade e a importância dela para a sociedade. E, ao doar dinheiro a essa força-tarefa, o contribuinte não apenas emite uma opinião, mas também respalda sua decisão com algum dinheiro, e agora poderia estar ainda mais propenso a seguir o próprio exemplo.
RECEITA: [*Silêncio absoluto.*]
EU: Essa abordagem pode ter outro benefício interessante: vocês poderiam marcar os contribuintes que decidem não doar à força-tarefa e auditá-los!
RECEITA: Você quer realmente falar sobre auditorias?*

Apesar da reação da Receita, não nos desanimamos por completo e continuamos atrás de outras oportunidades de testar nossa ideia de "assinar primeiro". Enfim tivemos sucesso (moderado) ao abordar uma grande seguradora. A empresa confirmou nossa teoria já fundamentada de que a maioria das pessoas trapaceia, mas só um pouquinho. Os funcionários nos contaram que suspeitam que pouquíssimos clientes cometam fraude de forma ostensiva (iniciando um incêndio, simulando um roubo e assim por diante), mas que muitos que sofrem uma perda de propriedade se sentem à vontade exagerando essa perda em 10% a 15%. Uma televisão de 32 polegadas torna-se uma de 40, um colar de 18 quilates torna-se um de 22, etc.

---

* Acabei sendo auditado pela Receita Federal alguns anos depois. Foi uma experiência longa, dolorosa e bem interessante. Não creio que tenha tido relação com aquela interação.

Fui até a sede e passei o dia com a alta direção da empresa, tentando descobrir meios de reduzir as declarações fraudulentas nos pedidos de indenização. Apresentamos uma série de ideias. Por exemplo, e se as pessoas tivessem que declarar suas perdas em termos altamente concretos e fornecer detalhes mais específicos (onde e quando compraram os itens) de modo a permitir menos flexibilidade moral? Ou: e se um casal que perdesse sua casa numa inundação tivesse que concordar sobre o que se perdeu (embora, como veremos nos Capítulos 8 e 9, essa ideia específica pudesse sair pela culatra)? E se tocássemos música religiosa quando as pessoas estivessem esperando sua ligação ser atendida? E o que não poderia ficar de fora: e se as pessoas tivessem que assinar no alto do formulário ou mesmo ao lado de cada item informado?

Como ocorre nessas grandes empresas, as pessoas com quem me reuni levaram as ideias ao departamento jurídico. Aguardamos seis meses e enfim recebemos notícias dos advogados, que disseram não estar dispostos a testar nenhuma daquelas abordagens.

Alguns dias depois, meu contato na seguradora ligou para mim e pediu desculpas por não poder testar nossas ideias. Contou também que havia um formulário de seguro de carro relativamente desimportante que poderíamos usar para um experimento. O formulário pedia aos clientes que registrassem sua leitura atual do hodômetro para a seguradora poder calcular quantos quilômetros haviam rodado no ano anterior. Naturalmente, pessoas que querem um prêmio menor poderiam ser tentadas a mentir e reduzir o número real de quilômetros que rodaram.

A seguradora nos deu 20 mil formulários, que usamos para testar nossa ideia de assinar no alto versus no final. Em metade dos formulários, a afirmação "Juro que as informações que estou fornecendo são verdadeiras" e a linha de assinatura vinham no final da página. Na outra metade, a afirmação e a linha de assinatura estavam logo no topo. Em todos os demais aspectos, os dois formulários eram idênticos. Enviamos os formulários para 20 mil clientes, aguardamos um pouco e, quando os recebemos de volta, fomos comparar a quantidade de quilômetros informada nos dois tipos de formulário. Adivinhe o que constatamos?

Quando estimamos a quantidade de quilômetros rodados no ano anterior, aqueles que assinaram o formulário antes de preenchê-lo pareciam ter dirigido em média 42.003 quilômetros, ao passo que aqueles que assinaram no final do formulário pareciam ter dirigido em média 38.141 quilômetros – uma diferença de 3.862 quilômetros. Ora, não sabemos quanto aqueles que assinaram no alto realmente dirigiram, portanto não sabemos se foram perfeitamente honestos – mas sabemos que mentiram em um grau bem menor. Também é interessante observar que essa magnitude de redução da mentira (que foi de uns 15% da quantidade total de quilômetros informados) foi semelhante à porcentagem de desonestidade que encontramos em nossos experimentos de laboratório.

Juntos, esses resultados experimentais indicam que, embora a gente costume considerar as assinaturas meios de confirmar informações (e é claro que elas podem ser bem úteis em realizar esse propósito), as assinaturas no alto dos formulários poderiam também agir como um tratamento preventivo contra fraudes.

AS EMPRESAS SÃO SEMPRE RACIONAIS?

Muitas pessoas acreditam que, embora os indivíduos possam se comportar irracionalmente de tempos em tempos, grandes empresas comerciais geridas por profissionais, com conselhos de administração e investidores, sempre operarão de maneira racional. Nunca comprei essa ideia e quanto mais interajo com empresas, mais constato que, na verdade, elas são bem menos racionais que os indivíduos (e mais me convenço de que alguém que crê que as empresas são racionais nunca compareceu a uma reunião de um conselho de administração).

O que você acha que aconteceu depois que demonstramos à seguradora que poderíamos aumentar a honestidade na informação da quilometragem alterando seus formulários? Acha que a empresa ficou ansiosa por revisar suas práticas regulares? Pois não ficou. E acha que alguém pediu que fizéssemos um experimento com a questão bem mais importante de perdas exageradas nas reivindicações de indenização de propriedades – um problema que a seguradora estima custar 24 bilhões de dólares anuais em perdas? Também não.

Algumas lições

Quando pergunto às pessoas como poderíamos reduzir a criminalidade em nossa sociedade, em geral sugerem pôr mais policiais nas ruas e aplicar punições mais rígidas aos infratores. Quando pergunto a CEOs de empresas o que fariam para resolver os problemas de furto interno, fraude, exageros em relatórios de despesas e sabotagem (quando o funcionário faz coisas que prejudicam seu empregador sem nenhum benefício concreto para si mesmo), eles costumam sugerir uma supervisão mais rigorosa e políticas de não tolerância severas. E, quando os governos procuram reduzir a corrupção ou criar regulamentações para impedir comportamentos desonestos, tendem a defender a transparência como uma cura para os males da sociedade. Obviamente, poucos são os indícios de que qualquer uma dessas soluções funcione.

Em contraste, os experimentos aqui descritos mostram que fazer coisas simples como evocar padrões morais na hora da tentação pode operar milagres para reduzir a conduta desonesta e potencialmente impedi-la por completo. Essa abordagem funciona mesmo que esses códigos morais específicos não façam parte de nosso sistema de crenças pessoais. Na verdade, está claro que lembretes morais tornam relativamente fácil induzir as pessoas a ser mais honestas – ao menos por um curto período. Se seu contador pedisse a você que assinasse um código de honra um segundo antes de preencher seu formulário de declaração de imposto de renda ou se seu corretor de seguros fizesse você jurar estar dizendo toda a verdade sobre aquela mobília danificada pela água, provavelmente a evasão fiscal e as fraudes em seguros seriam menos comuns.*

Como interpretar tudo isso? Primeiro precisamos reconhecer que a desonestidade é em grande parte motivada pela margem de manobra de cada pessoa e não pelo Modelo Simples do Crime Racional (SMORC). A margem de manobra sugere que, se quisermos reduzir significativamente a criminalidade, precisaremos achar um meio de mudar a forma como conseguimos racionalizar nossas ações.

---

* Suponho que, no caso das pessoas que odeiam o governo ou as seguradoras, o efeito continuaria ocorrendo, embora atenuado em certo grau – algo que vale a pena testar no futuro.

Se nossa capacidade de racionalizar nossos desejos egoístas aumenta, a margem de manobra também aumenta, deixando-nos mais à vontade com nosso mau comportamento e nossa trapaça. E acontece o mesmo no sentido inverso: se nossa capacidade de racionalizar nossas ações diminui, nossa margem de manobra também diminui, deixando-nos menos à vontade com o mau comportamento e a trapaça.

Quando você examina a gama de condutas indesejáveis no mundo sob esse ponto de vista – de práticas bancárias abusivas a fraudes em opções de ações, da inadimplência nos empréstimos e financiamentos à sonegação de impostos –, fica óbvio que existe muito mais na honestidade e na desonestidade do que avaliações racionais.

É claro que isso quer dizer que entender os mecanismos envolvidos na desonestidade é mais complexo e que detê-la não é uma tarefa fácil. Mas também significa que desvendar a intricada relação entre honestidade e desonestidade será uma aventura mais empolgante.

2B

GOLFE

"O imposto de renda criou mais americanos mentirosos do que o golfe."

— WILL ROGERS, *ator e comediante americano*

No filme *Lendas da vida*, o personagem Rannulph Junuh (interpretado por Matt Damon), que está tentando dar a volta por cima no golfe, comete um erro crítico durante a rodada decisiva e vê sua bola ir parar no mato. Após voltar ao *green*, ele remove um galho que está ao lado da bola a fim de abrir espaço para a tacada. Ao fazer isso, a bola rola um pouquinho para o lado. De acordo com as regras, ele deve sofrer uma penalidade. Àquela altura do jogo, Junuh obteve uma vantagem suficiente para, se ignorar a regra, vencer o jogo, ter seu retorno triunfal e recuperar a antiga glória.

Seu jovem *caddie* implora, com olhos marejados, que Junuh ignore o movimento da bola.

– Foi um acidente – diz o garoto – e, de qualquer modo, é uma regra idiota. Além disso, ninguém jamais saberá.

Junuh se volta para ele e declara, estoicamente:

– Eu saberei. E você também.

Mesmo os oponentes de Junuh acreditam que provavelmente a bola só oscilou e retornou à posição anterior ou que a luz o induziu a achar que a bola se moveu. Mas ele insiste e afirma que a bola se afastou. O resultado é uma partida honrosamente empatada.

A cena foi inspirada em uma história real ocorrida durante o U. S. Open de 1925. O golfista Bobby Jones observou que sua bola se moveu ligeiramente quando se preparava para a tacada. Ninguém viu, ninguém jamais saberia, mas ele anunciou a penalidade e acabou perdendo o jogo. Quando as pessoas descobriram o que ele havia feito e os repórteres começaram a cercá-lo, Jones pediu que não escrevessem sobre o caso, dizendo: "Vocês poderiam igualmente me elogiar por não assaltar bancos." Aquele momento lendário de uma honestidade tão nobre é citado até hoje pelos aficionados do esporte, e por boas razões.

Acredito que a cena – tanto a cinematográfica quanto a histórica – capta o ideal romântico do golfe. É uma demonstração do homem versus ele mesmo, exibindo tanto sua habilidade quanto sua nobreza. Talvez essas características de autossuficiência, automonitoramento e elevados padrões morais façam com que o golfe seja com frequência usado como metáfora para a ética empresarial (sem falar no fato de que tantos homens de negócios passam tanto tempo nos campos de golfe).

Diferentemente de outros esportes, o golfe não tem juiz ou painel de juízes supervisionando as tacadas para assegurar que as regras sejam cumpridas ou tomar decisões em situações questionáveis. O golfista, à semelhança do executivo de uma empresa, tem que decidir por si mesmo o que é ou não aceitável. Golfistas e executivos precisam escolher sozinhos o que estão dispostos ou não a fazer, já que na maior parte do tempo não existe mais ninguém para supervisionar ou checar seu trabalho.

Na verdade, as três regras tácitas do golfe são: jogue a bola como ela estiver, jogue no campo como você o encontrar e, se não conseguir fazer essas duas coisas, faça o que é justo. Mas "justo" é algo notoriamente difícil de definir. Afinal, um monte de pessoas poderia achar "justo" não relatar uma mudança acidental e irrelevante na localização da bola após a retirada de um galho. De fato, poderia parecer bem injusto ser penalizado por um movimento fortuito da bola.

Apesar da nobre herança reivindicada pelos golfistas para seu esporte, parece que muita gente vê o golfe da mesma forma que Will Rogers: como um jogo que fará de qualquer pessoa um trapaceiro. Não se trata de algo muito surpreendente, se você parar para pensar. No golfe, os jogadores lançam uma bolinha por uma grande distância, repleta de obstáculos, em direção a um buraco bem pequeno. Em outras palavras, é extremamente frustrante e difícil, e, quando somos nós que julgamos nosso desempenho, parece que há muitas ocasiões em que podemos ser um pouco lenientes demais quando se trata de aplicar as regras ao nosso escore.

Assim, em nossa tentativa de saber mais sobre a desonestidade, nós nos voltamos para os muitos jogadores de golfe de nosso país. Em 2009, Scott McKenzie (aluno de graduação da Universidade Duke na época) e eu realizamos um estudo em que fizemos a milhares de jogadores de golfe uma série de perguntas sobre como jogam e, mais importante, como trapaceiam. Pedimos que imaginassem situações em que ninguém pudesse observá-los (como costuma acontecer no golfe) e eles pudessem decidir seguir (ou não) as regras sem quaisquer consequências negativas. Com a ajuda de uma empresa que administra campos de golfe, enviamos e-mails a golfistas em várias partes dos Estados Unidos pedindo que participassem de uma pesquisa sobre golfe em troca de uma chance de ganharem equipamentos sofisticados. Cerca de 12 mil jogadores responderam à nossa solicitação, e eis o que aprendemos.

Movendo a bola

Perguntamos aos participantes: "Imagine que um golfista se aproxima de sua bola e percebe que seria altamente vantajoso se ela estivesse a 10 centímetros da posição atual. Na sua opinião, qual seria a probabilidade média de um jogador qualquer mover a bola por esses 10 centímetros?"

Essa pergunta apareceu em três diferentes versões, cada uma descrevendo uma abordagem diferente para melhorar a localização desfavorável da bola. (Uma coincidência curiosa: na terminologia do golfe, o local da bola é chamado de "*lie*", que também significa "mentira" em inglês). Com que tranquilidade você acha que um golfista comum moveria a bola 10 centímetros (1) com seu taco; (2) com seu sapato; ou (3) apanhando a bola com a mão e a mudando de lugar?

As perguntas sobre "mover a bola" foram concebidas para ver se no golfe, como em nossos experimentos anteriores, a distância da ação desonesta mudaria a tendência de se comportar de forma imoral. Se a distância funcionasse da mesma forma que no experimento das fichas já discutido (ver Capítulo 2), seria de esperar o menor nível de trapaça quando o movimento fosse realizado explicitamente com a mão. Veríamos níveis maiores de trapaça quando o movimento fosse realizado com o sapato e o nível máximo de desonestidade quando a distância fosse maior e o movimento fosse obtido por meio de um instrumento (um taco de golfe) que afastasse o jogador do contato direto com a bola.

O que nossos resultados mostraram é que a desonestidade no golfe, à semelhança dos outros experimentos, sofre influência direta da distância psicológica em relação à ação. Trapacear fica bem mais fácil quando existem mais passos entre nós e o ato desonesto. Nossos entrevistados sentiram que mover a bola com o taco era mais fácil e responderam que o jogador comum faria isso 23% das vezes. Depois veio chutar a bola (14% das vezes); e, finalmente, pegar a bola com a mão e movê-la foi a forma moralmente mais difícil de melhorar a posição (10% das vezes).

Esses números sugerem que, se pegamos a bola e mudamos sua posição, não há como ignorar o propósito e a intencionalidade do ato e, desse modo, não podemos deixar de achar que fizemos algo antiético. Quando chutamos a bola, existe uma pequena distância em relação ao ato, mas continuamos sendo os autores do chute. No entanto, quando o taco está fazendo o movimento (e sobretudo se movemos a bola de uma forma ligeiramente fortuita e imprecisa), conseguimos justificar nossa ação com relativa facilidade. "Afinal", poderíamos dizer para nós mesmos, "talvez houvesse algum elemento de sorte em como exatamente a bola acabou sendo posicionada." Nesse caso, podemos nos perdoar quase que por completo.

Fazendo *mulligans*

Reza a lenda que, na década de 1920, um golfista canadense chamado David Mulligan estava jogando golfe num country club em Montreal. Um dia, deu a primeira tacada na bola, mas não ficou satisfeito, de modo que tentou de novo. De acordo com a história, ele chamou aquilo de "lance corretivo", mas seus parceiros acharam "*mulligan*" um nome melhor e o nome pegou como termo oficial para uma "segunda chance" no golfe.

Hoje em dia, se uma tacada for claramente ruim, um golfista poderia anulá-la como um "*mulligan*", colocar a bola de volta no ponto de partida original e prosseguir como se o lance jamais tivesse ocorrido. Estritamente falando, *mulligans* nunca são permitidos, mas, em partidas amistosas, os jogadores às vezes concordam de antemão em admiti-los. É claro que, mesmo quando eles não são lícitos nem combinados, os jogadores continuam fazendo uso de tempos em tempos, e esses *mulligans* ilícitos foram o foco de nosso próximo conjunto de perguntas.

Perguntamos aos nossos participantes quais as chances de outros jogadores fazerem *mulligans* ilícitos quando estivessem numa situação em que não seriam observados. Em uma versão da pergunta, indagamos sobre as chances de alguém fazer um no primeiro buraco. Na segunda versão da pergunta, indagamos sobre as chances de um *mulligan* ilícito no nono buraco.

Para esclarecer, as regras não diferenciam essas duas ações: são igualmente proibidas. Ao mesmo tempo, parece que é mais fácil racionalizar uma segunda chance no primeiro buraco do que no nono buraco. Se você está no primeiro buraco e recomeça, pode fingir que a segunda tacada é a que realmente está começando o jogo e dali em diante cada lance contará. Mas, se você está no nono buraco, não dá para fingir que o jogo ainda não começou. O que significa que, se você faz um *mulligan*, precisa admitir para si mesmo que simplesmente não está contando uma tacada.

Como seria de esperar com base no que já sabíamos sobre a autojustificação por nossos outros experimentos, detectamos uma vasta diferença na disposição em fazer *mulligans*. Nossos jogadores previram que 40% dos golfistas fariam um no primeiro buraco, ao passo que (apenas?) 15% fariam um no nono buraco.

Realidade nebulosa

Num terceiro conjunto de perguntas, pedimos aos golfistas que imaginassem que deram seis tacadas num buraco de par 5 (um buraco que bons jogadores conseguem completar em cinco tacadas). Numa versão da pergunta, quisemos saber se um jogador comum anotaria "5" em vez de "6" em seu cartão de escore. Na segunda versão, perguntamos sobre a probabilidade média de um jogador comum registrar seu escore corretamente mas depois, na hora de somar os escores, contar o 6 como 5 e assim obter a mesma redução no escore, mas por meio da soma incorreta.

Queríamos ver se seria mais facilmente justificável anotar o escore errado de cara, porque, uma vez anotado, fica difícil justificar uma soma incorreta (semelhante a mudar a posição da bola com a mão). Afinal, somar de maneira incorreta é um ato explícito e deliberado de fraude não tão facilmente racionalizável.

Foi o que de fato constatamos. Nossos jogadores de golfe previram que, em tais casos, 15% dos golfistas anotariam um escore melhor, ao passo que bem menos (5%) errariam na soma do seu escore.

O grande golfista Arnold Palmer certa vez disse: "Tenho uma dica que pode retirar cinco tacadas do jogo de golfe de qualquer pessoa. Chama-se borracha." Parece, porém, que a grande maioria dos golfistas não está disposta a seguir esse caminho, ou ao menos que teria mais facilidade em trapacear se não anotasse o escore corretamente desde o princípio. Portanto, aqui caberia a atemporal pergunta do tipo "Se uma árvore cai numa floresta e ninguém está perto para ouvir, será que emite um som?". Se um golfista dá seis tacadas num buraco de par 5, o escore não é registrado e não há ninguém para vê-lo, seu escore é um 6 ou um 5?

Mentir dessa maneira sobre um escore tem muito em comum com uma clássica experiência imaginária chamada "gato de Schrödinger". Erwin Schrödinger foi um físico austríaco que, em 1935, descreveu o seguinte cenário: um gato está trancado numa caixa de aço com um isótopo radioativo que pode ou não se desintegrar. Caso se desintegre, desencadeará uma cadeia de eventos que resultará na morte do gato. Do contrário, o gato continuará vivendo.

Na história de Schrödinger, enquanto a caixa permanecer lacrada, o gato está suspenso entre a vida e a morte. Não pode ser descrito como estando vivo ou estando morto. O cenário de Schrödinger pretendia criticar uma interpretação da física que sustentava que a mecânica quântica não descrevia a realidade objetiva – em vez disso, lidava somente com probabilidades.

Deixando os aspectos filosóficos da física de lado por ora, a história do gato de Schrödinger poderia ser útil aqui ao pensarmos sobre escores de golfe. Um escore de golfe poderia se assemelhar ao gato vivo e morto de Schrödinger: enquanto não é anotado, não existe realmente em nenhuma das duas formas. Somente quando anotado adquire o status de "realidade objetiva".

Você deve estar estranhando por que perguntamos aos participantes sobre "um golfista comum" e não sobre o comportamento deles próprios. Isso aconteceu porque esperávamos que, como a maioria das pessoas, nossos golfistas mentissem se fossem indagados diretamente sobre a própria tendência de se comportarem de forma antiética. Ao perguntar sobre o comportamento dos outros, queríamos que se sentissem livres para contar a verdade sem sentir que estavam admitindo qualquer má conduta deles próprios.*

Mesmo assim, desejávamos também examinar quais comportamentos antiéticos os golfistas estariam dispostos a admitir sobre a própria conduta. O que constatamos foi que, embora muitos "outros golfistas" trapaceiem, os participantes específicos de nosso estudo eram quase anjos: quando indagados sobre o próprio comportamento, admitiram que moveriam a bola com seu taco para melhorar o local apenas 8% das vezes. Chutar a bola com o pé foi ainda mais raro (apenas 4%) e apanhar a bola com a mão para mudá-la de lugar ocorreu apenas 2,5% das vezes. Ora, 8%, 4% e 2,5% ainda podem parecer números grandes (particularmente dado o fato de que um campo de golfe tem 18 buracos e oferece muitas maneiras diferentes de ser desonesto), mas são baixos em comparação com o que "outros golfistas" fazem.

Achamos diferenças semelhantes nas respostas dos golfistas sobre *mulligans* e anotação de escores. Nossos participantes informaram que fariam um *mulligan* no primeiro buraco apenas 18% das vezes e, no nono, apenas 4%. Também disseram que anotariam o escore errado somente 4% das vezes e 1% admitiu algo tão grave como somar errado seus escores.

---

* Pense em todos aqueles casos nos quais as pessoas pedem conselhos sobre como se comportar em situações embaraçosas – nunca para si mesmas, mas para um "amigo".

Eis o resumo de nossos resultados:

Tipo de ação	Condição específica	Tendência a trapacear	
		Outros golfistas	O próprio
Mover a bola	Com o taco	23%	8%
	Chutando	14%	4%
	Apanhando com a mão	10%	2,5%
Fazer *mulligans*	No primeiro buraco	40%	18%
	No nono buraco	15%	4%
Registrar o escore	Anotando errado	15%	4%
	Somando errado	5%	1%

Não sei exatamente como você vai interpretar essas diferenças, mas aparentemente os golfistas não só trapaceiam à beça no golfe como também mentem ao dizer que não mentem.

O que aprendemos com essa aventura nos campos verdejantes? Parece que a trapaça no golfe capta muitas das nuances que descobrimos sobre a desonestidade em nossos experimentos de laboratório. Quando nossas ações estão mais distantes da execução do ato desonesto, quando estão suspensas e quando podemos racionalizá-las mais facilmente, os golfistas – como qualquer outro ser humano – acham mais fácil ser desonestos. Também parece que os golfistas, como todas as pessoas, têm a capacidade de ser desonestos e ao mesmo tempo se julgar honestos.

E o que aprendemos sobre a desonestidade dos executivos? Bem, quando as regras estão um tanto abertas a interpretação, quando existem áreas cinzentas e quando as pessoas podem anotar elas mesmas o próprio desempenho, mesmo jogos respeitáveis como o golfe podem ser armadilhas para a desonestidade.

3

CEGOS POR NOSSAS MOTIVAÇÕES

Meu amigo Jim foi vice-presidente de uma grande empresa de tratamentos odontológicos. Ao longo dos anos deparou-se com sua justa parcela de casos dentários bizarros, mas uma história que me relatou envolvendo o aparelho CAD/CAM foi particularmente interessante.

O CAD/CAM é um dispositivo de ponta usado para customizar restaurações dentárias como coroas e pontes. Inovador e caro, ele funciona em duas etapas. Primeiro exibe uma réplica tridimensional dos dentes e gengivas do paciente num monitor, permitindo ao dentista traçar a forma exata da coroa – ou de qualquer outra restauração – sobre a imagem da tela. Depois molda o material cerâmico em uma coroa de acordo com o projeto do dentista.

Poucos anos depois que o equipamento de CAD/CAM surgiu no mercado, um dentista no Missouri decidiu investir nisso e, dali em diante, parecia querer colocar coroas dentárias em todo mundo, inclusive em pacientes que apresentavam apenas fissuras superficiais. "Ele ficou empolgado e entusiasmado, querendo usar sua nova engenhoca", Jim me contou. "Assim, recomendou que muitos de seus pacientes melhorassem seus sorrisos usando, é claro, seu equipamento de ponta."

Um de seus pacientes era uma jovem estudante de direito com linhas de fissura assintomáticas. São basicamente rachaduras minúsculas no esmalte do dente, quase sempre inofensivas, que não precisam de tratamento. Mesmo assim, o dentista sugeriu que ela aplicasse uma coroa dentária. A jovem concordou, por estar acostumada a ouvir os conselhos dele. No entanto, por causa da coroa, seu dente se tornou sintomático e depois morreu, forçando-a a fazer um tratamento de canal. Mas espere: a coisa piora ainda mais. O tratamento de canal falhou e precisou ser refeito, e o segundo tratamento também não deu certo. Como resultado, não restou à mulher outra escolha a não ser se submeter a uma cirurgia complexa e dolorosa. Assim, o que começou como um tratamento para fissuras inofensivas acabou resultando em muita dor e enorme despesa financeira para aquela jovem.

Depois de se graduar na faculdade de direito, a mulher fez algumas pesquisas e descobriu que (surpresa!) jamais precisou daquela coroa dentária inicial. Como você pode imaginar, ela não gostou nada daquilo, então resolveu processar o dentista. E acabou ganhando a causa.

Que conclusão podemos tirar dessa história? Como já descobrimos, as pessoas não precisam ser corruptas para agir de formas problemáticas e às vezes lesivas. Gente perfeitamente bem-intencionada pode se deixar levar pelas singularidades da mente humana, cometer erros crassos e ainda assim se considerar boa e ética. Podemos afirmar que a maioria dos dentistas é composta de indivíduos competentes e cuidadosos que abordam seu trabalho com boa-fé. No entanto, ao que se revela, incentivos tendenciosos podem desencaminhar – o que de fato acontece – mesmo os profissionais mais exemplares.

Pense nisto: quando um dentista decide adquirir um dispositivo novo, sem dúvida acredita que vai ajudá-lo a atender melhor seus pacientes. Mas aquele também pode ser um empreendimento caro. Ele quer usá-lo para aprimorar seu serviço, mas também quer recuperar o investimento cobrando dos pacientes pelo uso dessa maravilhosa tecnologia nova. Assim, conscientemente ou não, busca um jeito de fazê-lo, e pronto: o paciente acaba recebendo uma coroa dentária – às vezes necessária, outras vezes não.

Para ser claro, não creio que os dentistas (ou a grande maioria das pessoas, por sinal) realizem um cálculo explícito de custos e benefícios, colocando na balança o bem-estar dos pacientes e os próprios bolsos, e depois escolham o próprio interesse em vez do interesse dos pacientes. Em vez disso, suspeito que alguns dentistas que compram um equipamento de CAD/CAM estejam reagindo ao fato de que investiram um dinheirão naquele dispositivo e queiram aproveitá-lo ao máximo. Essa informação então deturpa o julgamento profissional dos dentistas, levando-os a realizar recomendações e tomar decisões pelo próprio interesse em vez de fazer o que é melhor para o paciente.

Poderíamos achar que casos assim, quando um prestador de serviço é atraído por duas direções, são raros. Mas a realidade é que esses conflitos de interesses influenciam nosso comportamento em todos os tipos de lugar e, com frequência, tanto na esfera profissional quanto na pessoal.

Posso tatuar seu rosto?

Algum tempo atrás deparei-me com um conflito de interesses um tanto estranho. Nesse caso, era eu o paciente. Quando tinha uns 25 anos, uns seis ou sete anos após sofrer queimaduras graves num acidente, retornei ao hospital para um check-up de rotina. Naquela visita específica, consultei-me com alguns médicos e eles reavaliaram meu caso. Mais tarde encontrei-me com o chefe do departamento de queimados, que pareceu especialmente satisfeito em me ver.

– Dan, tenho um tratamento novo fantástico para você! – exclamou.

– É mesmo? Qual seria? – perguntei.

– Veja bem, como você tem barba escura e espessa, quando se barbeia, por mais rente que tente raspar, sempre haverá pequenos pontos pretos onde sua barba cresce. Mas, como o lado direito do rosto está com cicatrizes, você não tem nenhum pelo facial nem pontinhos pretos nesse lado, dando ao seu rosto um aspecto assimétrico.

Naquele ponto, ele iniciou uma pequena palestra sobre a importância da simetria por razões estéticas e sociais. Eu sabia como a simetria era importante para ele, porque ouvira uma minipalestra parecida alguns anos antes, quando me convenceu a me submeter a uma operação complexa e demorada na qual removeria parte do meu couro cabeludo junto com seu suprimento sanguíneo para recriar a metade direita de minha sobrancelha direita. (Eu de fato passei por aquela operação complexa de 12 horas e gostei dos resultados.)

Aí veio sua proposta:

– Nós começamos a tatuar pontinhos que parecem tocos de barba em rostos com cicatrizes como o seu e nossos pacientes ficaram incrivelmente satisfeitos com os resultados.

– Parece interessante – comentei. – Posso conversar com algum paciente que passou pelo procedimento?

– Infelizmente não. Isso violaria a confidencialidade médica.

Então, em vez disso, ele me levou até sua sala e mostrou fotos dos pacientes – não dos rostos inteiros, só das partes que foram tatuadas. E realmente parecia que os rostos com cicatrizes estavam cobertos de pontos pretos semelhantes a tocos de barba crescendo.

Aí me ocorreu uma dúvida:

– E o que acontecerá quando eu ficar velho e meus pelos se tornarem grisalhos? – indaguei.

– Ah, sem problema. Quando isso acontecer, vamos simplesmente clarear a tatuagem com um laser.

Satisfeito, ele se levantou, acrescentando:

Volte amanhã às nove. Mas, antes de vir, barbeie o lado esquerdo do rosto como costuma fazer e então eu tatuarei o lado direito do seu rosto para que tenha o mesmo aspecto. Garanto que ao meio-dia você estará mais satisfeito e atraente.

Refleti sobre o possível tratamento ao voltar de carro para casa e pelo resto do dia. Então percebi que, para me beneficiar plenamente do tratamento, teria que me barbear exatamente da mesma maneira pelo resto da vida. Fui à sala do chefe do departamento de queimados na manhã seguinte e informei que não estava interessado no procedimento.

Mas eu não contava com sua reação:

– O que há de errado com você?! – esbravejou ele. – Gosta de parecer pouco atraente? Obtém algum prazer estranho com esse aspecto assimétrico? As mulheres sentem pena e fazem sexo por compaixão? Estou oferecendo uma chance de melhorar sua aparência de uma forma bem simples e elegante. Não consigo entender você! Por que não aceita simplesmente e fica agradecido?

– Não sei – respondi. – Não me sinto à vontade com a ideia. Deixe-me pensar um pouco mais.

Você pode achar difícil acreditar que o chefe do departamento pudesse ser tão agressivo e rude, mas asseguro que foi exatamente isso que ele me disse. Só que aquele não era seu jeito habitual de falar comigo, por isso fiquei intrigado com aquela abordagem tão implacável. Na verdade, ele era um médico fantástico e dedicado que me tratou muito bem e se esforçou ao máximo para que eu melhorasse.

Também não era a primeira vez que eu recusava um tratamento. Após muitos anos interagindo com profissionais de saúde, eu havia decidido fazer certos tratamentos e não outros. Mas nenhum dos meus médicos, inclusive o chefe do departamento de queimados, jamais tentara me induzir daquela forma.

Na tentativa de solucionar o mistério, dirigi-me ao subchefe, um médico mais jovem com quem eu tinha um bom relacionamento. Pedi que explicasse por que o chefe do departamento havia me pressionado tanto.

– Ah, sim – disse o subchefe. – Ele já realizou esse procedimento em dois pacientes e precisa de mais um para publicar um artigo científico em uma revista médica de renome.

Essa informação adicional certamente me ajudou a entender melhor o conflito de interesses que eu vinha enfrentando. Aquele era um médico realmente bom, alguém que eu conhecia havia muitos anos e que sempre me tratara com compaixão e grande cuidado. No entanto, apesar do fato de se preocupar muito comigo em geral, naquele caso ele não conseguiu ver além do próprio interesse. Esse caso mostra como é difícil superar esses conflitos depois que eles deturpam fundamentalmente nossa visão de mundo.

O custo oculto dos favores

Uma outra causa comum dos conflitos de interesses é nossa predisposição a retribuir favores. Nós, humanos, somos criaturas profundamente sociais, de modo que, quando alguém nos ajuda de alguma forma ou nos dá um presente, costumamos nos sentir em dívida com a pessoa. Essa sensação pode afetar nossa visão, tornando-nos mais inclinados a tentar ajudar esse alguém no futuro.

Um dos estudos mais interessantes sobre o impacto dos favores foi realizado por Ann Harvey, Ulrich Kirk, George Denfield e Read Montague (na época, todos estavam na Faculdade de Medicina Baylor). Nesse estudo, Ann e seus colegas examinaram se um favor poderia influenciar preferências estéticas.

Quando chegaram ao laboratório de neurociência em Baylor, os participantes foram informados de que avaliariam obras de arte de duas galerias, uma chamada "Terceira Lua" e outra chamada "Lobo Solitário". Também ficaram sabendo que as galerias haviam lhes oferecido generosamente um pagamento por participarem do experimento. A alguns foi dito que seu pagamento individual foi patrocinado pela Terceira Lua, ao passo que aos outros foi dito que o patrocínio veio da Lobo Solitário.

Com essas informações em mente, os participantes passaram para a parte principal do experimento. Um por um, pediu-se que permanecessem imóveis num aparelho de ressonância magnética. Uma vez acomodados dentro do enorme ímã, viram uma série de 60 pinturas, uma de cada vez. Todas as obras eram de artistas ocidentais do século XIII ao XX e variavam da arte figurativa à abstrata. Mas as 60 pinturas não foram tudo que viram. Perto do canto superior esquerdo de cada pintura estava o belo logotipo da galeria onde aquele quadro específico podia ser comprado – assim, alguns quadros foram apresentados como se viessem da galeria que patrocinou o participante e outros foram apresentados como se viessem da galeria não patrocinadora.

Uma vez concluída a parte da ressonância do experimento, solicitou-se aos participantes que olhassem de novo cada uma das combinações pintura/logotipo, mas dessa vez classificando cada pintura em uma escala que ia de "Não gosto" a "Gosto".

Com as classificações nas mãos, Ann e seus colegas puderam comparar quais pinturas agradaram mais aos participantes, se as da Terceira Lua ou as da Lobo Solitário. Quando os pesquisadores examinaram as avaliações, constataram que os participantes deram notas mais favoráveis às pinturas vindas da galeria patrocinadora, o que não foi nenhuma surpresa.

Você poderia pensar que essa preferência pela galeria patrocinadora se deveu a um tipo de polidez – ou talvez tenha sido um elogio da boca para fora, do tipo que fazemos aos amigos que nos convidaram para jantar mesmo que a comida não tenha sido lá essas coisas. Foi aí que a parte da ressonância magnética do estudo se tornou útil. Sugerindo que os efeitos da reciprocidade são profundos, as imagens do cérebro mostraram o mesmo efeito: a presença do logotipo do patrocinador aumentou a atividade nas partes do cérebro dos participantes relacionadas ao prazer (em particular o córtex pré-frontal ventromedial, uma área responsável pelo pensamento de ordem superior, que inclui associações e significado). Esse foi um sinal de que a gentileza da galeria patrocinadora exerceu um profundo efeito sobre como as pessoas reagiram à arte. E mais: quando se perguntou aos participantes se achavam que o logo do patrocinador teve algum efeito nas suas preferências artísticas, a resposta universal foi: "De jeito nenhum. Com certeza não."

Além disso, diferentes participantes receberam quantias de dinheiro variáveis pelo tempo gasto nos experimentos. Alguns receberam 30 dólares da galeria patrocinadora, outros receberam 100 dólares. No nível máximo, os participantes receberam 300 dólares. Constatou-se que o favoritismo em relação à galeria patrocinadora se elevou conforme o aumento das receitas. A magnitude da ativação do cérebro nos centros do prazer foi menor quando o pagamento foi de 30 dólares, maior quando a recompensa foi de 100 dólares e alcançou o pico em quem recebeu 300 dólares.

Esses resultados indicam que, uma vez que alguém (ou alguma organização) nos faz um favor, tornamo-nos parciais em relação a qualquer coisa ligada à parte doadora – e a magnitude dessa tendência aumenta conforme a magnitude do favor inicial (nesse caso, o montante do pagamento) aumenta. É particularmente interessante que favores econômicos pudessem ter influência nas preferências por arte, sobretudo quando se considera que o favor (pagar pela participação no estudo) nada teve a ver com a arte em si, que fora criada independentemente das galerias. Também é interessante notar que os participantes sabiam que a galeria pagaria independentemente das avaliações das pinturas e mesmo assim o pagamento (e sua magnitude) criou uma sensação de reciprocidade que orientou suas preferências.

Os truques da indústria farmacêutica

Algumas pessoas e empresas entendem muito bem essa propensão humana à reciprocidade e, em consequência, dedicam bastante tempo e dinheiro a tentar gerar um sentimento de obrigação nos outros. Na minha opinião, a profissão que mais corporifica esse tipo de operação, ou seja, aquela que mais depende de criar conflitos de interesses, é a dos lobistas. Eles passam uma pequena fração de seu tempo revelando fatos às autoridades públicas conforme relatados por seus empregadores. No restante do tempo, tentam incutir nos políticos um sentimento de obrigação e reciprocidade, esperando que eles retribuam ao votarem projetos de lei.

Os lobistas, porém, não estão sozinhos na busca incansável por conflitos de interesses; alguns outros profissionais poderiam competir de igual para igual com eles. Por exemplo, vejamos como os representantes das empresas farmacêuticas realizam suas atividades. A função de um representante é visitar médicos e convencê-los a comprar equipamentos e medicamentos para tratar distúrbios de saúde. De início, podem dar a um médico uma caneta grátis com seu logotipo, ou talvez um bloco de notas, uma caneca ou algumas amostras grátis de remédios. Esses pequenos brindes podem sutilmente influenciar os médicos a prescrever um medicamento com mais frequência – tudo porque sentem a necessidade de retribuir.[1]

No entanto, pequenos brindes e amostras grátis são apenas alguns dos muitos truques psicológicos que os representantes farmacêuticos empregam quando vão cortejar os médicos. "Eles pensam em tudo", um médico amigo meu me contou. Ele então explicou que as companhias farmacêuticas, sobretudo as menores, treinam seus representantes para tratar os médicos como se fossem deuses. E parecem ter uma reserva desproporcionalmente grande de representantes atraentes.

Todo o esforço é coordenado com precisão militar. Cada representante que se preze tem acesso a um banco de dados que informa o que cada médico prescreveu no último trimestre (em medicamentos tanto da sua empresa quanto dos concorrentes). Os representantes também se encarregam de descobrir que tipo de comida cada médico e o pessoal do seu consultório apreciam, em que horário estão mais propensos a receber os representantes e também que tipo de representante consegue ficar mais tempo com os médicos. Caso se observe que um médico passa mais tempo com uma representante, eles podem modificar a programação daquela profissional para poder ficar mais tempo naquele consultório. Se o médico gosta das Forças Armadas, eles enviam um veterano. Os representantes também fazem questão de ser agradáveis com as equipes dos médicos e, assim, quando chegam, saem distribuindo guloseimas e outros pequenos brindes a enfermeiros e recepcionistas, assegurando a boa vontade de todos desde o princípio.

Uma prática particularmente interessante é a "boca-livre", na qual os médicos podem chegar em restaurantes selecionados de comida para viagem e pegar o que quiserem. Mesmo estudantes de medicina são atraídos por alguns esquemas. Um exemplo criativo dessa estratégia foi a da caneca preta. Uma caneca preta com o logotipo da farmacêutica era entregue aos médicos e residentes, e a empresa garantia que o médico, ao levar aquela caneca a qualquer filial de uma rede de cafeterias local, podia tomar café *espresso* ou cappuccino de graça. O desejo por aquela caneca foi tão grande que se tornou símbolo de status entre estudantes e estagiários.

À medida que essas práticas se tornaram mais extravagantes, houve uma regulamentação maior por parte dos hospitais e da Associação Médica Americana, limitando o emprego de tais táticas de marketing agressivas. É claro que, diante dessas restrições, os representantes farmacêuticos continuaram buscando novas abordagens para influenciar os médicos.

Alguns anos atrás, minha colega Janet Schwartz (professora da Universidade Tulane) e eu convidamos alguns representantes farmacêuticos para jantar. Basicamente testamos os representantes em seu jogo: levamos os funcionários a um bom restaurante e mantivemos as taças de vinho deles sempre abastecidas. Quando já estavam bem animados, foram nos revelando os truques de seu ofício. E o que descobrimos foi chocante.

Um dos representantes farmacêuticos era um homem atraente e charmoso de 20 e poucos anos. Ele nos contou como certa vez persuadiu uma médica relutante a comparecer a um seminário sobre um medicamento que ele estava promovendo ao concordar em acompanhá-la a uma aula de dança de salão. Um toma lá dá cá: o representante fez um favor pessoal à médica, que, por sua vez, aceitou suas amostras grátis e promoveu o remédio entre seus pacientes.

Outra prática corriqueira, o representante nos contou, era levar refeições sofisticadas para toda a equipe do consultório médico. Uma equipe chegou a exigir dias alternados de filé e lagosta no almoço se os representantes quisessem ter acesso aos médicos. Ainda mais perturbadora foi a descoberta de que os médicos às vezes convidam os representantes à sala de exames (como um "especialista") no intuito de informar diretamente os pacientes sobre a atuação de certos remédios.

Ouvir relatos de representantes que vendiam dispositivos médicos foi ainda mais escandaloso. Soubemos que é uma prática comum oferecerem seus equipamentos na sala de cirurgia durante um procedimento.

Janet e eu ficamos surpresos com a profundidade do conhecimento que os representantes farmacêuticos tinham de estratégias de persuasão psicológica clássicas e como as empregavam de forma sofisticada e intuitiva. Uma outra tática inteligente que nos relataram envolvia contratar médicos para dar breves palestras a outros médicos sobre um medicamento que os representantes vinham tentando promover. Veja bem, os representantes farmacêuticos não estavam realmente preocupados com o que o público aprendia na palestra – seu verdadeiro interesse estava no efeito da palestra sobre o palestrante. Eles descobriram que, após discursar sobre os benefícios de certo remédio, o palestrante começava a crer nas próprias palavras e logo passava a prescrevê-lo.

Estudos psicológicos mostram que começamos a acreditar, com rapidez e facilidade, em qualquer coisa que saia de nossa boca, mesmo que o motivo original para expressar a opinião não seja mais pertinente (no caso dos médicos, o fato de serem pagos para afirmar tais coisas). É a dissonância cognitiva em ação: os médicos raciocinam que, se estão falando aos outros sobre um remédio, este deve ser bom – e, assim, suas crenças mudam para corresponder ao discurso e eles começam a prescrever de acordo com ele.

Os representantes nos contaram que empregavam outros truques também, transformando-se em camaleões: mudando de sotaque, personalidade e afiliação política intermitentemente. Orgulhavam-se de sua capacidade de deixar os médicos à vontade.

Às vezes um relacionamento amistoso se expandia para o terreno da amizade social – alguns representantes praticavam pesca submarina ou jogavam basquete com os médicos. Essas experiências compartilhadas motivavam os médicos a realizar prescrições que beneficiavam seus "amigos". Os médicos, é claro, não achavam que estavam comprometendo seus valores quando saíam para pescar ou jogar basquete com os representantes farmacêuticos. Estavam apenas curtindo uma merecida pausa com um amigo com quem por acaso acabaram de fazer negócio. Em muitos casos, provavelmente não percebiam que estavam sendo manipulados – o que sem dúvida era o caso.

Favores disfarçados são uma coisa, mas existem muitas situações em que conflitos de interesses são mais fáceis de reconhecer. Às vezes uma empresa farmacêutica paga a um médico milhares de dólares em consultoria. Outras vezes a empresa doa um prédio ou oferece verbas para o departamento de um pesquisador médico na esperança de influenciar suas opiniões. Esse tipo de ação cria imensos conflitos de interesses – especialmente nas faculdades de medicina, onde a parcialidade em relação a uma farmacêutica pode ser transmitida do professor aos alunos e também aos pacientes.

Duff Wilson, repórter do *The New York Times*, descreveu um exemplo desse tipo de conduta. Alguns anos atrás, um estudante de medicina de Harvard observou que seu professor de farmacologia vinha promovendo fortemente os benefícios de medicamentos para colesterol e minimizando seus efeitos colaterais. Ao fazer uma pesquisa no Google, descobriu que o professor constava da folha de pagamento de 10 empresas farmacêuticas, cinco das quais produziam remédios para controle do colesterol. E não era o único. Como disse Wilson: "Sob as regras de transparência da faculdade, cerca de 1.600 dos 8.900 professores e conferencistas da Faculdade de Medicina de Harvard haviam informado ao diretor que eles ou um membro da própria família tinham um interesse financeiro em alguma empresa ligada ao seu ensino, sua pesquisa ou seu atendimento clínico."[2] Quando professores tentam publicamente empurrar recomendações de medicamentos como conhecimento acadêmico, temos um sério problema.

Distorcendo os números

Se você acha que o mundo da medicina está infestado de conflitos de interesses, vejamos outra profissão em que esses conflitos podem ser ainda mais generalizados. Sim, estou falando do mundo encantado dos serviços financeiros.

Vamos fazer de conta que estamos em 2007 e você acabou de aceitar um emprego fantástico numa instituição financeira de Wall Street. Seu bônus pode chegar à faixa de 5 milhões de dólares ao ano, mas só se você enxergar os títulos lastreados em hipotecas (ou algum outro instrumento financeiro novo) por uma luz positiva. Você está recebendo um montão de dinheiro para sustentar uma visão distorcida da realidade, mas não se dá conta dos truques que seu bônus polpudo prega na sua percepção. Em vez disso, logo se convence de que os títulos lastreados em hipotecas são tão sólidos quanto você quer crer.

Depois que aceitou que eles são a onda do futuro, você fica ao menos parcialmente cego para seus riscos. Além do mais, é notoriamente difícil avaliar quanto valem de fato os títulos. Sentado diante de sua grande e complexa planilha cheia de parâmetros e equações, você tenta descobrir o valor real dos títulos hipotecários. Muda um dos parâmetros de desconto de 0,934 para 0,936 e vê de imediato como o valor dá um salto. Então continua brincando com os números, buscando os parâmetros que forneçam a melhor representação da "realidade", mas com um olho vê também as consequências de suas escolhas de parâmetros para seu futuro financeiro pessoal. Você segue brincando com os números por mais um tempo, até se convencer de que realmente representam a forma ideal de avaliar os títulos lastreados em hipotecas. E não se sente mal com isso, porque tem certeza de que fez o melhor para representar os valores da maneira mais objetiva possível.

Além disso, você não está lidando com dinheiro vivo. Só está brincando com números que estão a muitos passos de distância do dinheiro. Sua abstração permite que enxergue suas ações mais como um jogo e não como algo que realmente afeta os lares, o sustento e os planos de previdência das pessoas.

Você também não está sozinho. Percebe que os operadores financeiros nas salas ao lado estão se comportando mais ou menos da mesma forma que você. Além disso, ao comparar suas avaliações com as deles, você percebe que alguns colegas optaram por valores ainda mais extremos que os seus. Acreditando que você é uma criatura racional e que o mercado está sempre certo, você fica ainda mais inclinado a aceitar o que vem fazendo

– e o que todos os outros vêm fazendo (veremos mais sobre isso no Capítulo 8) – como sendo a coisa certa.

É claro que nada disso está certo (lembra-se da crise financeira de 2008?), mas, dado o montante de dinheiro envolvido, parece natural distorcer um pouco as coisas. E é perfeitamente humano comportar-se dessa maneira. Suas ações são altamente problemáticas, mas você não as vê assim. Afinal, seus conflitos de interesses são respaldados pelo fato de que você não está lidando com dinheiro real, de que os instrumentos financeiros são incrivelmente complexos e de que cada um dos seus colegas está fazendo a mesma coisa.

Trabalho interno, o fascinante (e terrivelmente perturbador) documentário vencedor do Oscar de 2011, mostra em detalhes como o setor dos serviços financeiros corrompeu o governo americano, levando a uma falta de supervisão em Wall Street e ao colapso financeiro de 2008. O filme também descreve como esse setor pagou a acadêmicos importantes (diretores, chefes de departamento, professores universitários) para escreverem relatórios especializados a favor do próprio setor e de Wall Street. Provavelmente você se sentirá intrigado com a facilidade com que especialistas acadêmicos pareciam se vender e achará que jamais faria o mesmo.

Antes, porém, que você queira alardear seus padrões de moralidade, imagine que eu (ou você) receba um dinheirão para estar no comitê de auditoria do GiantBank. Com uma grande parte de minha renda dependendo do sucesso do GiantBank, eu provavelmente não seria tão crítico em relação às atividades do banco como sou hoje. Com um incentivo polpudo o bastante, eu talvez não ficasse repetindo, por exemplo, que os investimentos precisam ser transparentes e claros e que as empresas devem se esforçar para tentar superar seus conflitos de interesses. Como ainda não fui convidado para um comitê desses, por enquanto acho fácil pensar que muitas das ações dos bancos têm sido repreensíveis.

Os acadêmicos também enfrentam dilemas

Quando reflito sobre a onipresença dos conflitos de interesses e a impossibilidade de reconhecê-los em nossa vida, devo confessar que também sou suscetível a eles.

Nós, acadêmicos, às vezes somos convidados a usar nossos conhecimentos como consultores e testemunhas especialistas. Pouco depois de conseguir meu primeiro emprego acadêmico, fui convidado por um grande escritório de advocacia para ser uma testemunha especialista. Eu sabia que alguns de meus colegas mais veteranos faziam isso como um trabalho paralelo regular pelo qual eram generosamente remunerados (embora todos insistissem que não faziam aquilo pelo dinheiro). Por curiosidade, pedi para ver as transcrições de algumas causas e, quando me mostraram, surpreendi-me ao descobrir quão unilateral foi seu uso das descobertas das pesquisas. Fiquei também um tanto chocado ao ver quão depreciativos foram, em seus relatórios, com relação às opiniões e ressalvas das testemunhas especialistas da outra parte – que, na maioria dos casos, também contava com acadêmicos respeitáveis.

Mesmo assim, decidi fazer um teste (não pelo dinheiro, é claro) e recebi um bom pagamento para dar minha opinião de especialista.* Bem no início do processo, percebi que os advogados com quem eu estava trabalhando vinham tentando inculcar ideias em minha mente que reforçassem a causa deles. Não o faziam de maneira veemente nem dizendo que certas coisas seriam boas para seus clientes. Em vez disso, pediam que eu descrevesse todas as pesquisas que seriam relevantes para a causa. Sugeriam que algumas das descobertas menos favoráveis à posição deles poderiam ter falhas metodológicas e que as pesquisas que apoiavam o ponto de vista deles eram muito importantes e bem-feitas. Também me elogiavam calorosamente cada vez que eu interpretava as pesquisas de uma forma útil para eles.

Após algumas semanas, descobri que rapidamente adotei o ponto de vista daqueles que estavam me pagando. A experiência toda me fez duvidar da possibilidade de ser objetivo quando alguém é pago por sua opinião. (E, agora que estou escrevendo sobre minha falta de objetividade, estou certo de que ninguém jamais me convocará como testemunha especialista de novo – o que talvez seja uma coisa boa.)

---

* Foi a primeira vez que fui muito bem pago por hora e fiquei intrigado com a maneira como comecei a ver muitas decisões em termos de "horas de trabalho". Constatei que, com uma hora de trabalho, poderia pagar um jantar bem sofisticado e, com um pouco mais, poderia comprar uma bicicleta nova. Suponho que essa seja uma forma interessante de pensar sobre o que deveríamos ou não comprar e um dia examinarei isso.

Os dados do bêbado

Passei por outra experiência que me fez perceber os perigos dos conflitos de interesses, dessa vez em minha pesquisa. Na época, meus amigos em Harvard fizeram a gentileza de me deixar usar seu laboratório comportamental para realizar experimentos. Eu estava particularmente interessado em usar suas instalações porque eles recrutavam moradores da vizinhança em vez de contarem apenas com estudantes.

Numa semana específica, eu estava testando um experimento sobre tomada de decisões e, como costuma ocorrer, previ que o nível de desempenho em uma das condições seria bem maior que o nível de desempenho na outra condição. Foi basicamente o que os resultados mostraram – com exceção de um indivíduo. Ele estava na condição em que eu esperava o melhor desempenho, mas seu desempenho foi o pior de todos. Aquilo me incomodou. Ao examinar seus dados mais de perto, descobri que ele era uns 20 anos mais velho que todos os outros no estudo. Então lembrei que houve um sujeito mais velho que estava caindo de bêbado quando veio ao laboratório.

No momento em que descobri que o participante discrepante estava bêbado, percebi que deveria ter excluído seus dados desde o princípio, já que sua capacidade de tomar decisões estava claramente comprometida. Assim, joguei fora seus dados e no mesmo instante os resultados pareceram lindos – mostrando exatamente o que eu esperava. Mas alguns dias depois comecei a pensar no processo pelo qual decidi eliminar o sujeito bêbado. Perguntei a mim mesmo: o que teria acontecido se aquela pessoa estivesse na outra condição – aquela em que eu esperava um desempenho pior? Se tivesse sido o caso, é provável que eu não tivesse reparado em suas respostas individuais, para início de conversa. E, se tivesse, possivelmente nem sequer cogitaria excluir seus dados.

Após o experimento, eu poderia muito bem ter inventado uma história que justificasse minha exclusão dos dados do sujeito bêbado. Mas e se ele não estivesse bêbado? E se ele tivesse algum tipo de deficiência sem qualquer relação com a bebida? Eu teria inventado outra desculpa ou outro argumento lógico para justificar a exclusão de seus dados? Como veremos no Capítulo 7, a criatividade pode nos ajudar a justificar nossas motivações egoístas enquanto continuamos nos considerando pessoas honestas.

Decidi fazer duas coisas. Primeiro, repeti o experimento para verificar novamente os resultados, o que funcionou muito bem. Depois, concluí que era correto criar padrões para excluir participantes de um experimento (ou seja, não testaríamos bêbados nem pessoas incapazes de entender as instruções). Mas as regras de exclusão precisam ser definidas de antemão, antes que o experimento ocorra, e definitivamente não após examinar os dados.

O que aprendi? Quando decidi excluir os dados do homem bêbado, acreditava de coração que o estava fazendo em nome da ciência – como se estivesse heroicamente lutando para aclarar os dados a fim de que a verdade pudesse emergir. Não me ocorreu que talvez estivesse agindo assim por interesse próprio, mas estava claro que eu tinha outra motivação: encontrar os resultados que estava esperando. Em termos mais gerais, aprendi – de novo – a importância de criar regras que possam nos salvaguardar de nós mesmos.

Transparência: uma panaceia?

Então qual é o melhor modo de lidar com conflitos de interesses? Para a maioria das pessoas, seria uma estratégia de "transparência total". O pressuposto básico subjacente à transparência é que, desde que as pessoas declarem de maneira pública e precisa o que vêm fazendo, tudo fica bem. Segundo esse pensamento, se os profissionais simplesmente tornassem seus incentivos claros e conhecidos pelo cliente, este poderia então decidir por si mesmo até onde confiar nos seus conselhos (tendenciosos) e depois tomar decisões mais informadas.

Se a transparência total fosse a regra, os médicos informariam aos pacientes quando fossem os proprietários do equipamento necessário aos tratamentos recomendados. Ou quando fossem pagos pelo fabricante dos remédios que vão prescrever. Assessores financeiros informariam seus clientes sobre todas as diferentes taxas, pagamentos e comissões que recebem de diferentes fornecedores e instituições de investimentos. Com essas informações nas mãos, os consumidores deveriam ser capazes de descartar as opiniões daqueles profissionais e tomar decisões melhores.

Em teoria, a transparência parece uma solução fantástica. Ela isenta os profissionais que reconhecem seus conflitos de interesses e fornece aos seus clientes uma noção melhor da origem das informações desses profissionais.

No entanto, a verdade é que a transparência nem sempre é uma solução eficaz para conflitos de interesses. Aliás, pode às vezes piorar a situação. Para explicar, vou apresentar um estudo realizado por Daylian Cain (professor da Universidade Yale), George Loewenstein (professor da Universidade Carnegie Mellon) e Don Moore (professor da Universidade da Califórnia em Berkeley).

Nesse experimento os participantes tinham um papel determinado em um jogo de adivinhação. Alguns deles desempenhavam o papel de estimadores: sua tarefa era adivinhar o mais exatamente possível a quantidade total de dinheiro em um jarro grande cheio de trocados. Esses participantes eram pagos de acordo com a exatidão da estimativa. Quanto mais próxima, mais dinheiro recebiam, e não importava se errassem por superestimar ou subestimar o valor real.

Os outros participantes desempenhavam o papel de conselheiros, cuja tarefa era orientar os estimadores em seus palpites. Havia duas diferenças interessantes entre os estimadores e os conselheiros. A primeira era que, enquanto os estimadores viam o jarro a distância por uns poucos segundos, os conselheiros tinham mais tempo para examiná-lo e recebiam a informação de que o montante de dinheiro no jarro variava entre 10 e 30 dólares. Aquilo conferia aos conselheiros uma vantagem informacional. Tornava-os comparativamente experts no campo de estimar o valor do jarro e dava aos estimadores uma ótima razão para confiar nas informações dos conselheiros ao formularem seus palpites (algo comparável à forma como recorremos aos especialistas em muitas áreas da vida).

A segunda diferença envolvia a regra de pagamento dos conselheiros. Na condição de controle, os conselheiros eram pagos de acordo com a precisão das estimativas dos estimadores, de modo que não havia qualquer conflito de interesses. Na condição de conflito de interesses, quanto mais os estimadores superestimassem o valor das moedas no jarro, mais os conselheiros receberiam. Assim, se os estimadores superestimassem por um dólar, seria bom para os conselheiros – mas seria ainda melhor se superestimassem por

3 ou 4 dólares. Quanto mais superestimasse, menos o estimador ganharia, ao passo que a quantia desembolsada para o conselheiro seria maior.

Assim, o que será que aconteceu na condição de controle e na condição de conflito de interesses? Na condição de controle, os conselheiros sugeriam um valor médio de 16,50 dólares, ao passo que na condição de conflito de interesses sugeriam um valor superior a 20. Eles basicamente aumentavam o valor estimado em quase 4 dólares. Ora, você pode olhar para o lado positivo desse resultado e dizer a si mesmo: "Bem, pelo menos o conselho não foi de 36 dólares ou algum outro número bastante alto." Se foi isso que lhe passou pela cabeça, você deveria considerar duas coisas: primeira, que o conselheiro não podia dar um conselho muito exagerado porque, afinal, o estimador viu o jarro. Se o valor fosse exageradamente alto, o estimador ignoraria aquela sugestão. Segunda, lembre-se de que a maioria das pessoas trapaceia apenas o suficiente para continuar se sentindo bem com elas mesmas. Nesse sentido, a margem de manobra foi de 4 dólares extras (ou cerca de 25% da quantia).

A importância desse experimento, porém, veio a se revelar na terceira condição, de conflito de interesses mais transparência. Aqui o pagamento do conselheiro foi o mesmo da condição de conflito de interesses. Mas dessa vez o conselheiro tinha que informar ao estimador que ele (o conselheiro) receberia mais dinheiro quando o estimador superestimasse. Desse modo, o estimador poderia presumivelmente levar em conta os incentivos tendenciosos do conselheiro e fazer o desconto apropriado. Tal descarte do conselho com certeza ajudaria o estimador, mas e o efeito da transparência sobre os conselheiros? A necessidade de transparência eliminaria seu conselho tendencioso? Ou revelar sua tendenciosidade aumentaria a margem de manobra? Eles agora se sentiriam mais à vontade exagerando seu conselho num grau ainda maior? E a pergunta de um bilhão de dólares é: qual desses dois efeitos se mostraria maior? O desconto aplicado pelo estimador à orientação do conselheiro seria menor ou maior do que o exagero extra do conselheiro?

Vamos aos resultados. Na condição de conflito de interesses mais transparência, os conselheiros aumentaram suas estimativas em mais 4 dólares (de 20,16 para 24,16). E o que os estimadores fizeram? Como você pode adivinhar, eles descontaram as estimativas, mas somente em 2 dólares. Em outras palavras, embora os estimadores levassem a transparência dos conselheiros em conta ao formular suas estimativas, não subtraíram o suficiente. Como o resto de nós, os estimadores não reconheceram suficientemente o alcance e o poder do conflito de interesses de seus conselheiros.

A principal lição é: a transparência criou uma tendenciosidade ainda maior no conselho. Com a transparência, os estimadores ganharam menos dinheiro e os conselheiros ganharam mais. Ora, não tenho certeza de que a transparência sempre piorará a situação dos clientes, mas está claro que nem sempre melhorará.

Então o que deveríamos fazer?

Agora que entendemos um pouco mais os conflitos de interesses, deveriam estar claros os graves problemas que causam. Além de serem onipresentes, não parecemos estar plenamente conscientes de seu grau de influência em nós e nos outros. Portanto, qual é a saída?

Uma recomendação direta é tentar erradicar por completo os conflitos de interesses, o que é mais fácil de falar do que de fazer. Na área médica, significaria, por exemplo, proibir os médicos de tratar ou examinar seus pacientes usando equipamentos de que são proprietários. Em vez disso, teríamos que exigir que uma entidade independente, sem vínculo com os médicos ou as empresas de equipamentos, realizasse os tratamentos e exames. Proibiríamos também os médicos de dar consultoria às empresas farmacêuticas ou investir em ações de farmacêuticas. Afinal, se não queremos que os médicos tenham conflitos de interesses, precisamos assegurar que sua receita não dependa do número e dos tipos de procedimentos ou receitas que recomendam.

Da mesma forma, se desejamos eliminar conflitos de interesses de assessores financeiros, não deveríamos permitir que ganhassem incentivos que não estivessem alinhados com os interesses de seus clientes – nenhuma gratificação por serviços, nenhum dinheiro por fora e nenhum pagamento diferenciado por sucesso e fracasso.

Embora seja claramente importante tentar reduzir os conflitos de interesses, sabemos que isso não é simples. Vejamos o caso de empreiteiros, advogados e mecânicos de automóveis, por exemplo. A forma como esses profissionais são pagos gera conflitos de interesses terríveis, porque eles tanto fazem a recomendação quanto se beneficiam do serviço, ao passo que o cliente não tem nenhuma expertise nem alavancagem. Mas pare por uns minutos e tente pensar num modelo de remuneração que não envolvesse quaisquer conflitos de interesses. Difícil? Isso se não for impossível.

Também é importante perceber que, embora os conflitos de interesses causem problemas, às vezes eles ocorrem por um bom motivo. Vejamos o exemplo de médicos (e dentistas) que indicam tratamentos usando equipamentos de que são proprietários. Embora seja uma prática potencialmente perigosa da perspectiva dos conflitos de interesses, também possui algumas vantagens: os profissionais tendem a adquirir equipamentos nos quais confiam; é provável que se tornem especialistas em seu uso; aquilo pode ser bem mais conveniente para o paciente; e os médicos podem até realizar alguma pesquisa que ajude a melhorar o equipamento ou a forma de usá-lo.

Moral da história: não é uma tarefa fácil criar sistemas de remuneração que não envolvam intrinsecamente conflitos de interesses nem às vezes dependam deles. Ainda que conseguíssemos eliminar todos os conflitos de interesses, o custo em termos de redução da flexibilidade e aumento da burocracia e da supervisão poderia não valer a pena – motivo pelo qual não deveríamos, por excesso de zelo, defender regras e restrições draconianas (como os médicos nunca poderem conversar com representantes farmacêuticos nem possuir equipamentos médicos).

Ao mesmo tempo, acho importante perceber o grau em que podemos ser cegados por nossas motivações financeiras. Precisamos reconhecer que situações envolvendo conflitos de interesses possuem desvantagens substanciais e tentar, com ponderação, reduzi-los quando seus custos tendem a superar seus benefícios.

Como se sabe, existem muitos casos óbvios em que conflitos de interesses deveriam simplesmente ser eliminados. Por exemplo, os conflitos de assessores financeiros que recebem pagamentos por fora; de auditores que atuam como consultores para as mesmas empresas; de profissionais financeiros que recebem bônus polpudos quando seus clientes ganham dinheiro mas nada sofrem quando eles perdem tudo; de agências de classificação de risco que são pagas pelas próprias empresas que elas classificam; e de políticos que aceitam dinheiro e favores de corporações e lobistas em troca de seus votos. Em todos esses casos, parece-me que devemos nos esforçar para erradicar o máximo de conflitos de interesses possível – mais provavelmente por meio de regulamentações.

Você deve estar duvidando de que reformulações desse tipo venham a acontecer. Quando as regulamentações por parte do governo ou de associações profissionais não se concretizam, nós, consumidores, precisamos reconhecer o perigo que os conflitos de interesses trazem consigo e fazer o possível para buscar prestadores de serviços com menos conflitos (ou nenhum, se possível).

Finalmente, quando enfrentarmos decisões sérias em que percebemos que a pessoa que nos aconselha pode ser tendenciosa – como quando um médico se oferece para tatuar nosso rosto –, devemos gastar um pouco mais de tempo e energia para buscar uma segunda opinião de uma parte que não tenha interesse financeiro na decisão a ser tomada.

4

POR QUE CHUTAMOS O BALDE QUANDO ESTAMOS CANSADOS

Imagine-se ao fim de um dia bem longo e cansativo, como um dia de mudança. Você está exausto. Cozinhar está fora de cogitação. Você não tem sequer energia para localizar uma panela em meio às caixas, muito menos para usá-la. Com certeza vai jantar fora.

A um quarteirão de sua nova casa existem três restaurantes. Um é um pequeno bistrô com saladas frescas e sanduíches leves. Outro é um restaurante chinês, e os aromas gordurosos e temperados que emanam de lá dão água na boca. Há também uma pequena pizzaria onde os moradores da vizinhança se deliciam com fatias gigantes cheias de queijo. Para qual restaurante você arrasta seu corpo cansado e dolorido? Em contraste, pense em qual seria sua escolha se a refeição viesse após uma tarde relaxante no quintal com um bom livro.

Caso não tenha observado, nos dias estressantes é comum ceder à tentação e optar por uma das alternativas menos saudáveis. Essa ligação misteriosa entre exaustão e consumo de comida calórica não é produto da sua imaginação. E é o motivo de muitas dietas morrerem sob a pressão do estresse e de as pessoas voltarem a fumar após uma crise.

Aceita um bolinho?

A chave desse enigma tem a ver com a luta entre a parte impulsiva (ou emocional) e a parte racional (ou deliberativa) de nós mesmos. Não se trata de uma ideia nova: muitos livros (e artigos acadêmicos) influentes ao longo da história falaram sobre os conflitos entre desejo e razão. Tivemos Adão e Eva, tentados pela perspectiva do conhecimento proibido e por aquela fruta suculenta. Houve Ulisses, que sabia que seria seduzido pelo canto das sereias e sabiamente ordenou que sua tripulação tapasse os ouvidos com cera para abafar aquele chamado irresistível e o amarrasse ao mastro (desse modo, Ulisses teve o melhor dos dois mundos: pôde ouvir o canto sem temer que seus homens afundassem o navio). E, numa das lutas mais trágicas entre emoção e razão, Romeu e Julieta, de Shakespeare, apaixonaram-se mesmo com a advertência de frei Lourenço de que a paixão desenfreada traz apenas desgraça.

Numa demonstração fascinante da tensão entre razão e desejo, Baba Shiv (professor da Universidade Stanford) e Sasha Fedorikhin (professor da Universidade de Indiana) examinaram a ideia de que as pessoas caem em tentação com mais frequência quando a parte do cérebro incumbida do pensamento deliberativo está ocupada com outras coisas. Para reduzir a capacidade dos participantes de pensar de forma eficaz, Baba e Sasha não removeram partes de seus cérebros (como pesquisadores de animais às vezes fazem) nem usaram impulsos magnéticos para perturbar seu raciocínio (embora existam máquinas capazes de fazê-lo). Em vez disso, decidiram prejudicar a capacidade de reflexão dos participantes aumentando o que os psicólogos chamam de carga cognitiva. Em termos simples, eles queriam descobrir se estar com a mente cheia poderia deixar menos espaço cognitivo para resistir à tentação, tornando as pessoas mais suscetíveis a sucumbir.

O experimento de Baba e Sasha foi assim: eles dividiram os participantes em dois grupos e pediram aos membros de um grupo que memorizassem um número de dois dígitos (algo como, digamos, 35). Aos membros de outro grupo, solicitaram que memorizassem um número de sete dígitos (digamos, 7.581.280). Os participantes foram informados de que, para receber o pagamento pelo experimento, teriam que repetir o número para outro pesquisador que os aguardava em uma segunda sala na outra extremidade do corredor. Se não recordassem o número, ficariam sem a recompensa.

Os participantes formavam uma fila para participar do experimento e viam brevemente o número com dois ou sete dígitos. Com o número na cabeça, cada um percorria o corredor até a segunda sala, onde teria que informá-lo ao pesquisador. Mas, no caminho, inesperadamente eles davam de cara com um carrinho que exibia fatias de um bolo de chocolate suculento e tigelas com frutas coloridas de aspecto saudável. Quando os participantes passavam pelo carrinho, outro pesquisador informava que, depois que entrassem na segunda sala e informassem seu número, poderiam comer um dos dois lanches – mas teriam que tomar a decisão naquele momento, no carrinho. Os participantes faziam suas escolhas, recebiam uma folha de papel indicando o lanche escolhido e se dirigiam à segunda sala.

Que decisões os participantes tomaram enquanto passavam por mais ou menos estresse cognitivo? O impulso "Hum, bolo!" foi vencedor ou eles escolheram a salada de frutas saudável (a escolha racional)? Como suspeitaram Baba e Sasha, a resposta dependeu parcialmente da tarefa que os participantes tinham. Aqueles que percorreram o corredor com um mero "35" na cabeça escolheram as frutas com mais frequência do que aqueles que estavam lutando com um "7.581.280". Com suas faculdades de nível superior ocupadas, o grupo dos sete dígitos foi menos capaz de subjugar seus desejos instintivos e muitos deles acabaram sucumbindo à gratificação instantânea do bolo de chocolate.

O cérebro cansado

O experimento de Baba e Sasha mostrou que, quando nossa capacidade de raciocínio deliberativo está ocupada, o sistema impulsivo ganha mais controle sobre nosso comportamento. Mas a interação entre nossa capacidade de raciocinar e nossos desejos fica ainda mais complicada quando está em jogo o que Roy Baumeister (professor da Universidade Estadual da Flórida) chamou de "esgotamento do ego".

Para entender o esgotamento do ego, imagine que você está tentando perder alguns quilos. Um dia, no trabalho, você fica de olho numa empadinha de queijo durante a reunião matinal, mas, como está querendo se manter na linha, se esforça ao máximo para resistir à tentação e toma apenas um café. Mais tarde, você está doido para comer um prato de massa no almoço, mas mesmo assim se obriga a pedir uma salada mista com frango grelhado. Uma hora depois, cogita sair do trabalho um pouco mais cedo,

> ### QUANDO OS JUÍZES SE CANSAM
>
> Se você tiver uma audiência de livramento condicional marcada para os próximos dias, certifique-se de que seja o primeiro compromisso pela manhã ou o primeiro logo após o almoço. Por quê? De acordo com um estudo de Shai Danziger (professor da Universidade de Tel Aviv), Jonathan Levav (professor da Universidade Stanford) e Liora Avnaim-Pesso (professora da Universidade Ben-Gurion do Neguev), juízes de comissões de liberdade condicional tendem a concedê-la com mais frequência quando estão mais revigorados.
>
> Ao investigar um grande conjunto de decisões de liberdade condicional em Israel, os pesquisadores descobriram que as comissões costumavam conceder mais a liberdade condicional durante seus primeiros casos do dia e logo após o intervalo para almoço. Por quê? A decisão-padrão dessas comissões não é conceder a liberdade condicional. Mas parece que, quando se sentem descansados, no início da manhã ou após terem almoçado e feito uma pausa, os juízes tinham uma capacidade maior de sobrepujar sua decisão-padrão, tomar uma decisão mais árdua e conceder a liberdade condicional com mais frequência. Mas, durante as muitas decisões difíceis do dia, à medida que sua carga cognitiva ia aumentando, optavam pela decisão-padrão mais simples de não conceder a liberdade condicional.
>
> Acredito que estudantes de doutorado (um tipo ligeiramente diferente de prisioneiro) instintivamente entendem esse mecanismo, razão pela qual costumam levar rosquinhas, bolinhos e biscoitos para suas propostas e defesas de tese. Com base nos resultados do estudo da liberdade condicional, torna-se mais provável que, assim, seus juízes concedam o indulto acadêmico e deixem que comecem as próprias vidas independentes.

já que seu chefe se ausentou, mas se detém e diz: "Não. Preciso terminar este projeto." Em cada um desses casos, seus instintos hedonistas incitaram você na direção de tipos de gratificação prazerosos, enquanto seu louvável autocontrole (ou força de vontade) aplicou uma pressão contrária na tentativa de resistir a esses impulsos.

A ideia básica por trás do esgotamento do ego é que resistir à tentação exige esforço e energia consideráveis. Pense na sua força de vontade como um músculo. Quando damos de cara com um frango frito ou um milk-shake de chocolate, nossa primeira reação é um instintivo "Eba, eu quero!". Depois, enquanto tentamos superar o desejo, gastamos um pouco de energia. Cada decisão que tomamos para evitar a tentação requer algum grau de esforço (como levantar um peso uma só vez) e exaurimos nossa força de vontade ao usá-la repetidamente (como levantar um peso várias vezes). Isso significa que, após um longo dia dizendo "não" a várias e diversas tentações, nossa capacidade de resistir diminui – até que, a certa altura, nos rendemos e acabamos enchendo a barriga de empadinha, biscoito recheado, batata frita ou o que nos fizer salivar.

Trata-se, é claro, de um pensamento inquietante. Afinal, nossos dias estão cada vez mais cheios de decisões e de um bombardeio incessante de tentações. Se nossas tentativas repetidas de manter o autocontrole esgotam a capacidade de fazê-lo, é de admirar que tantas vezes a gente acabe chutando o balde?

O esgotamento do ego também ajuda a explicar por que nossas noites são particularmente cheias de tentativas fracassadas de autocontrole – após um longo dia de esforço para nos comportarmos, ficamos cansados dessa tirania. E, ao cair da noite, estamos mais propensos a sucumbir aos desejos (pense nos assaltos à geladeira altas horas da noite como a culminância de um dia inteiro resistindo à tentação).

Testando o músculo moral

Na série de TV *Sex and the City*, Samantha Jones (a mais extrovertida das quatro amigas) se vê num relacionamento sério. Ela começa a comer compulsivamente e, em consequência, ganha peso. O interessante é o motivo desse comportamento desconcertante.

Samantha percebe que sua compulsão por comida começou quando um homem bonitão se mudou para o apartamento ao lado – o tipo de homem que ela paqueraria quando solteira. Ela percebe que está usando a comida como um anteparo contra a tentação. "Eu como para não trair", ela explica às amigas. A Samantha ficcional está esgotada, como uma pessoa real. Não consegue resistir a todas as tentações e, como solução, escolhe a comida em vez do adultério.

Esse episódio levanta uma questão interessante: as pessoas que exigem demais de si mesmas em um domínio acabam sendo menos éticas em outros? O esgotamento nos leva a trapacear ou trair? Foi o que Nicole Mead (professora da Universidade Católica de Lisboa), Roy Baumeister, Francesca Gino, Maurice Schweitzer (professor da Universidade da Pensilvânia) e eu decidimos conferir. O que aconteceria com as Samanthas da vida real que ficassem esgotadas por uma tarefa e depois tivessem a oportunidade de trapacear em outra? Elas trapaceariam mais? Menos? Previriam que estão mais propensas a sucumbir à tentação e, portanto, tentariam evitar por completo a situação de tentação?

Nosso primeiro experimento incluiu diversas etapas. Primeiro dividimos nossos participantes em dois grupos. Pedimos a cada membro de um deles que escrevesse uma pequena redação sobre o que havia feito no dia anterior sem usar as letras "x" e "z". Experimente você mesmo: escreva um breve resumo de um de seus livros favoritos, mas sem usar essas letras. Observação: você não pode simplesmente omiti-las das palavras – precisa usar palavras que não contenham um "x" ou "z" (por exemplo, "bicicleta").

Chamamos essa condição de não extenuante, porque, como você deve ter percebido, é bem fácil escrever uma redação sem usar as letras "x" e "z".

Pedimos a cada membro do outro grupo que fizesse a mesma coisa, mas sem usar as letras "a" e "n". Para ter uma ideia melhor de como essa versão da tarefa é diferente, tente escrever uma breve sinopse de um de seus filmes favoritos sem usar qualquer palavra contendo as letras "a" e "n":

_____

_____

_____

_____

_____

_____

Como você provavelmente descobriu pela experiência com a segunda tarefa, tentar narrar uma história sem usar "a" ou "n" exigiu que nossos contadores de histórias constantemente reprimissem as palavras que naturalmente surgiriam em sua mente. Você não consegue escrever que os personagens "foram passear no parque" ou "se encontraram por acaso no restaurante".

Todos esses pequenos atos de repressão acabam resultando em um esgotamento maior.

Depois que nossos participantes entregavam suas redações, pedíamos que realizassem uma tarefa separada para um estudo diferente, que era o foco principal daquele experimento. A outra tarefa era nosso teste da matriz-padrão.

Quer saber como foi? Nas duas condições de controle constatamos que tanto as pessoas esgotadas quanto as não esgotadas mostraram a mesma capacidade de resolver os problemas matemáticos – o que significa que o esgotamento não diminuiu sua capacidade básica de fazer contas. Mas, nas duas condições da fragmentadora de papel (em que podiam trapacear), as coisas foram diferentes. Aqueles que escreveram redações sem as letras "x" e "z" e depois fragmentaram suas respostas trapacearam um pouco, alegando ter solucionado uma matriz a mais. Mas os participantes da condição da fragmentadora que passaram pela provação de escrever redações sem as letras "a" e "n" foram mais audazes: alegaram ter solucionado cerca de três matrizes extras. Ao que se revelou, quanto mais exigente e extenuante é a tarefa, mais os participantes trapaceiam.

O que essas descobertas indicam? Em termos gerais, se você esgota sua força de vontade, terá bem mais dificuldade em controlar seus desejos e essa dificuldade pode esgotar sua honestidade também.

Matando as avós

No decorrer dos meus muitos anos de magistério, notei que parece haver uma onda de mortes entre os parentes dos alunos no fim do semestre, que fica mais forte na semana antes das provas finais e antes da entrega das monografias. Num semestre comum, cerca de 10% dos meus alunos me procuram pedindo um adiamento do prazo porque alguém morreu – geralmente uma avó. É claro que acho isso muito triste e estou sempre pronto a me solidarizar com meus estudantes e dar mais tempo para completarem suas tarefas. Mas uma pergunta permanece: o que torna as semanas antes das provas finais tão perigosas para os parentes dos alunos?

A maioria dos professores se depara com o mesmo fenômeno intrigante, e acho que passamos a suspeitar de alguma espécie de relação causal entre os exames e as mortes súbitas entre as vovós. Na verdade, um intrépido pesquisador conseguiu prová-la. Após coletar dados por diversos anos, Mike Adams (professor de biologia da Universidade Estadual Eastern Connecticut) mostrou que as avós têm 10 vezes mais chances de morrer antes de um exame no meio do curso e 19 vezes mais chances de morrer antes de um exame final. Além disso, as avós dos estudantes que não estão se saindo bem em sala de aula correm risco ainda maior – os estudantes que estão quase reprovados têm 50 vezes mais chances de perder uma avó em comparação com os estudantes sem risco de reprovação.

Num estudo explorando essa triste conexão, Adams especula que o fenômeno se deve à dinâmica intrafamiliar, ou seja, as avós dos estudantes se preocupam tanto com seus netos que acabam morrendo de preocupação com o resultado dos exames. O que explicaria a elevação das fatalidades quando os riscos aumentam, especialmente nos casos em que o futuro acadêmico do estudante corre perigo. Com essa descoberta em mente, fica claro que, de uma perspectiva de política pública, as avós – sobretudo de estudantes à beira da reprovação – deveriam ser monitoradas de perto, em busca de sinais de problemas de saúde nas semanas antes e durante as provas finais. Outra recomendação é que seus netos, de novo em especial aqueles que não estão com bom desempenho nas aulas, não informem suas avós sobre as datas de seus exames ou seu desempenho em sala de aula.

Embora seja provável que a dinâmica intrafamiliar cause esses trágicos acontecimentos, existe outra explicação possível para a peste que parece acometer as avós duas vezes ao ano. Pode ter mais a ver com a falta de preparo dos estudantes e sua tentativa subsequente de ganhar mais tempo que com qualquer ameaça real à segurança daquelas queridas velhinhas. Se for verdade, seria interessante indagar por que os estudantes se tornam suscetíveis a "perder" sua avó (em e-mails para os professores) no fim dos semestres.

Talvez no fim do semestre os estudantes fiquem tão esgotados pelos meses de muito estudo e poucas horas de sono que percam parte da moralidade e, no processo, também mostrem descaso pelas vidas das avós. Se a concentração necessária para lembrar um número mais longo pode induzir as pessoas a correr atrás de um bolo de chocolate, não é difícil imaginar como enfrentar meses de conteúdo acumulado de diversas matérias poderia levar os estudantes a simular a morte da avó para aliviar a pressão (embora isso não justifique mentir para os professores).

Mesmo assim, segue um aviso para todas as avós por aí: cuidem-se direitinho nos períodos de provas finais.

Vermelho, verde e azul

Vimos que o esgotamento rouba parte de nosso poder de raciocínio e, com ele, nossa capacidade de agir eticamente.

Mesmo assim, na vida real é possível optar por nos retirarmos de situações que nos tentem a adotar uma conduta imoral. Se estamos pelo menos um pouco conscientes de nossa propensão a agir de forma desonesta quando esgotados, temos como levar isso em conta e evitar por completo a tentação. (Por exemplo, no âmbito das dietas, evitar a tentação poderia significar a decisão de não fazer compras no mercado quando estamos com fome.)

No nosso próximo experimento, os participantes iam poder escolher, logo no início, entre se colocar ou não em uma posição que os tentaria a trapacear. De novo, queríamos criar dois grupos: um exausto; o outro, não. Dessa vez, porém, usamos um método diferente de exaustão mental chamado Teste Stroop de Cores e Palavras.

Nessa tarefa, apresentamos aos participantes uma tabela de nomes de cores contendo cinco colunas e 15 linhas (totalizando 75 palavras). As palavras na tabela eram nomes de cores – vermelho, verde e azul – impressas numa dessas três cores e organizadas sem nenhuma ordem específica. Com a lista diante dos participantes, pedíamos que dissessem a cor de cada palavra da lista em voz alta. Suas instruções eram simples: "Se uma palavra está escrita em tinta vermelha, independentemente do significado da palavra, você deve dizer 'vermelho'. Se uma palavra está escrita em tinta verde, você deve dizer 'verde'. E assim por diante. Faça isso o mais rápido que puder. Se em qualquer momento você cometer um erro, repita a palavra até acertar."

Para os participantes na condição não extenuante, a lista de cores foi estruturada de modo que o nome de cada cor (por exemplo, verde) estava escrito com tinta da mesma cor (verde). Os participantes na condição extenuante receberam as mesmas instruções, mas a lista de palavras tinha uma diferença fundamental: a cor da tinta não correspondia ao nome da cor (por exemplo, a palavra "azul" estaria impressa em tinta verde e os participantes teriam que dizer "verde").

Paradoxalmente, a dificuldade em nomear as cores na lista incongruente resulta de nossa habilidade como leitores. Para leitores experientes, o significado das palavras que lemos vem à mente muito rápido, criando uma reação quase automática de dizer a palavra correspondente em vez da cor da tinta. Vemos a palavra "vermelho" com cor verde e queremos dizer "vermelho". Mas não é o que devemos fazer nessa tarefa, e assim nos esforçamos para suprimir a reação inicial e, em vez dela, nomear a cor da tinta. Sentimos uma espécie de exaustão mental resultante da supressão repetida de nossas respostas automáticas rápidas em favor de respostas mais controladas e árduas (e corretas).

Após completar a tarefa nas versões fácil ou difícil, cada participante teve a oportunidade de fazer um teste de múltipla escolha sobre a história da Universidade Estadual da Flórida. O teste incluía perguntas como "Quando a universidade foi fundada?" e "Quantas vezes o time de futebol americano disputou o Campeonato Nacional entre 1993 e 2001?". No todo, o teste incluía 15 perguntas, cada uma com quatro respostas possíveis, e os participantes eram pagos de acordo com o desempenho. Os participantes também foram informados de que, assim que terminassem de responder a todas as perguntas, receberiam uma folha de respostas para onde deveriam transferir seus palpites. A folha do teste seria então jogada na fragmentadora de papel e apenas a folha de respostas seria submetida para o pagamento.

Imagine que você é um estudante na condição com oportunidade de trapacear. Acabou de completar o teste Stroop (seja a versão extenuante ou a não extenuante). Respondeu às perguntas do teste nos últimos minutos e o tempo programado para o teste se esgotou. Você se dirige à pesquisadora a fim de pegar a folha de respostas para transferir devidamente seus palpites.

"Sinto muito", a pesquisadora diz, com uma expressão de aborrecimento. "Estou quase sem folhas de respostas. Só tenho uma desmarcada e uma com as respostas previamente marcadas."

Ela então explica que fez o possível para apagar as marcas da folha de respostas usada, mas as respostas ainda estão ligeiramente visíveis. Chateada consigo mesma, admite que esperava ministrar mais um teste hoje depois do seu. Aí ela se dirige a você e sugere: "Como você é o primeiro dos dois últimos participantes do dia, pode escolher qual formulário gostaria de usar: o limpo ou o já marcado."

Obviamente você percebe que pegar a folha de respostas já marcada lhe dará uma vantagem se decidir trapacear. Você a pegaria? Talvez pegue a já marcada por altruísmo: quer ajudar a pesquisadora para ela não se preocupar tanto com aquilo. Talvez pegue a já marcada para trapacear. Ou talvez pense que, pegando a já marcada, seria tentado a trapacear, e assim a rejeita porque quer ser uma pessoa honesta, honrada e ética. Seja qual for a escolhida, você transfere seus palpites para aquela folha de respostas, fragmenta o teste original e devolve a folha de respostas à pesquisadora, que paga o valor devido.

Será que os participantes extenuados evitaram com mais frequência a situação tentadora ou foram atraídos em sua direção? Descobrimos que foram mais propensos que os participantes não extenuados a escolher a folha que os tentava a trapacear. Como resultado de seu esgotamento, veio o duplo golpe: escolheram a folha de respostas já marcada com mais frequência e (como vimos no experimento anterior) também trapacearam mais quando possível. Quando examinamos essas duas formas de trapaça combinadas, constatamos que pagamos aos participantes extenuados 197% mais que aos não extenuados.

O esgotamento no dia a dia

Imagine que você está em uma dieta sem carboidratos e vai fazer compras no fim do dia. Entra no supermercado, ligeiramente faminto, e sente o cheiro de pão quentinho saindo da padaria. Vê abacaxis frescos à venda. Embora seja algo que você adore, está fora da dieta. Então você leva o carrinho até a seção do açougue para comprar frango. Os bolinhos de salmão parecem ótimos, mas têm carboidratos demais, por isso você passa correndo. Pega alface e tomates para uma salada, preparando-se para evitar os *croûtons* de alho com queijo. Vai até o caixa e paga suas compras. Você se sente muito bem consigo mesmo e com sua capacidade de resistir à tentação. Aí, já seguro fora do mercado e a caminho do carro, você passa por uma barraquinha de bolos e uma menininha fofa oferece um pedacinho de brownie.

Agora que você aprendeu sobre o esgotamento, pode prever o que suas tentativas heroicas anteriores de resistir à tentação podem levá-lo a fazer: você provavelmente cederá e dará uma mordida. Após provar o chocolate delicioso derretendo em suas papilas gustativas famintas, você não consegue ir embora. Está louco por mais. Assim, compra brownies suficientes para uma família de oito pessoas e acaba comendo metade deles antes mesmo de chegar em casa.

Agora pense nos shoppings. Digamos que você precisa de um novo par de tênis para caminhadas. Ao se dirigir de uma loja de acessórios esportivos para outra, passando por uma vasta extensão de tentações comerciais reluzentes, você vê todo tipo de coisa que deseja mas de que não necessariamente precisa.

Tem aquela nova churrasqueira que o deixa babando, aquele casaco estiloso para o próximo inverno e o cordão de ouro para a festa a que você provavelmente irá no réveillon. Cada artigo atraente que você não compra é um impulso reprimido, lentamente esgotando sua reserva de força de vontade – tornando bem mais provável que você venha a cair em tentação mais tarde.

Sendo humanos e suscetíveis à tentação, todos sofremos nesse aspecto. Quando tomamos decisões complexas durante o dia (e a maioria das decisões é mais complexa e desgastante que nomear as cores de palavras incongruentes), repetidas vezes nos vemos em circunstâncias que criam um cabo de guerra entre impulso e razão. E, quando se trata de decisões importantes (saúde, casamento e assim por diante), experimentamos uma luta ainda mais forte. Ironicamente, nossas tentativas simples e diárias de reprimir nossos impulsos enfraquecem nosso suprimento de autocontrole, tornando-nos mais suscetíveis à tentação.

Agora que você conhece os efeitos do esgotamento, qual seria a melhor forma de enfrentar as muitas tentações da vida? Aqui está uma abordagem sugerida pelo meu amigo Dan Silverman, um economista da Universidade de Michigan que vinha enfrentando graves tentações diariamente.

Dan e eu fomos colegas no Instituto de Estudos Avançados de Princeton. O instituto é um lugar ótimo para pesquisadores sortudos que possam tirar um ano para não fazer quase mais nada além de pensar, passear pelo bosque e comer bem. Diariamente, após passarmos as manhãs refletindo sobre a vida, a ciência, a arte e a razão disso tudo, desfrutávamos de um almoço delicioso: um dia, por exemplo, a sugestão do chefe foi peito de pato servido com polenta e cogumelos glaceados. Cada prato incluía uma maravilhosa sobremesa: sorvete, crème brûlée, cheesecake, bolo de chocolate com recheio de creme de framboesa. Uma tortura, particularmente para o pobre Dan, que é louco por doces. Sendo um economista inteligente, racional, com colesterol alto, Dan queria sobremesa, mas também sabia que comê-la todo dia não é aconselhável.

Dan pensou no seu problema por um tempo e concluiu que, ao se confrontar com a tentação, uma pessoa racional deveria às vezes sucumbir. Por quê? Porque assim a pessoa racional evita ficar esgotada demais, mantendo-se forte para eventuais tentações que o futuro possa trazer. Assim, para Dan, que era muito cauteloso e se preocupava com as tentações futuras, a hora da sobremesa era sempre uma festa. E, sim, junto com Emre Ozdenoren e Steve Salant, Dan escreveu um artigo acadêmico justificando sua abordagem.

Falando mais sério agora, esses experimentos com o esgotamento indicam que, em geral, seria bom estarmos cientes de que somos constantemente tentados ao longo do dia e que nossa capacidade de combater essas tentações enfraquece com o tempo e o acúmulo de resistência. Se quisermos levar mesmo a cabo a redução do peso, deveríamos nos livrar da tentação removendo da geladeira e da despensa todos os alimentos açucarados, gordurosos e processados e nos adaptando ao sabor de frutas, legumes e verduras frescos. Deveríamos fazer isso não só porque frango frito e bolo são ruins para nós, mas também porque sabemos que a exposição a guloseimas no decorrer do dia (e cada vez que abrimos a despensa ou a geladeira) torna mais difícil resistir a essas e outras tentações.

Entender o esgotamento também significa que, na medida do possível, deveríamos enfrentar as situações que requerem autocontrole – uma tarefa particularmente tediosa no trabalho, por exemplo – no início do dia, antes de ficarmos esgotados demais. É claro que não é um conselho fácil de seguir, porque as forças comerciais à nossa volta (bares, lojas on-line, redes sociais, jogos on-line, etc.) beneficiam-se da tentação e do esgotamento, que são o motivo do sucesso delas.

É verdade que não podemos evitar a exposição a todas as ameaças ao nosso autocontrole. Então, existe esperança para nós? Eis uma sugestão: se notamos que é bem difícil resistir a determinada tentação, uma boa estratégia é nos afastarmos da atração do desejo antes de estarmos perto o suficiente para sermos arrebatados. Isso porque é bem mais fácil evitar a tentação completamente do que vencê-la quando está ali olhando para você no balcão da cozinha. E, se não conseguimos fazer isso, podemos muito bem tentar agir sobre nossa capacidade de combater a tentação – talvez contando até 100, cantando uma música ou fazendo um plano de ação e o seguindo à risca. Experimentar qualquer uma dessas táticas pode nos ajudar a desenvolver um arsenal de truques para superar a tentação, ficando assim mais bem equipados para combater esses impulsos no futuro.

Por fim, devo observar que às vezes o esgotamento pode ser benéfico. De vez em quando, é provável que a gente sinta que está exagerando no controle, enfrentando um excesso de restrições, e que não somos suficientemente livres para seguir nossos impulsos. Talvez a gente precise parar um pouco de ser adultos responsáveis de vez em quando e apenas afrouxar as rédeas. Então fica uma dica: da próxima vez que você quiser chutar o balde e satisfazer seu eu primitivo, esgote-se primeiro escrevendo uma longa redação sem usar as letras "a" e "n". Depois vá ao shopping, prove várias coisas, mas não compre nada. Em seguida, com todo esse esgotamento pesando sobre você, coloque-se na posição tentadora de sua escolha e deixe rolar. (Só não use esse truque com muita frequência.)

E, se você realmente precisa de uma desculpa que soe mais oficial para sucumbir à tentação de vez em quando, use a teoria de Dan Silverman da permissividade racional.

5
POR QUE USAR PRODUTOS FALSIFICADOS NOS FAZ TRAPACEAR MAIS

Vou contar a história da minha estreia no mundo da moda. Quando foi morar em Nova York, Jennifer Wideman Green (uma amiga minha da pós-graduação) conheceu uma série de pessoas desse universo. Ela me apresentou a Freeda Fawal-Farah, que trabalhava na revista *Harper's Bazaar*, um modelo de excelência da indústria fashion. Alguns meses depois, Freeda me convidou a dar uma palestra e, diante da oportunidade de falar para um público tão atípico para mim, concordei.

Antes de minha palestra começar, ela me ofereceu um rápido tutorial sobre moda enquanto bebericávamos nossos *lattes* numa cafeteria que dava para a escada rolante do grande prédio da revista em Manhattan. Freeda analisava os trajes usados por cada mulher que passava por nós, incluindo as marcas que estavam vestindo e o que suas roupas e seus sapatos diziam sobre seu estilo de vida. Achei sua atenção a cada detalhe – aliás, toda a análise da moda – fascinante, da forma como imagino que observadores de pássaros sejam capazes de discernir diferenças minúsculas entre espécies.

Cerca de 30 minutos depois, eu me vi num palco diante de um auditório cheio de experts em moda. Foi um prazer estar cercado de tanta gente atraente e bem-vestida. Cada mulher era como uma exposição num museu: suas joias, sua maquiagem e, é claro, seus sapatos deslumbrantes.

Graças ao tutorial de Freeda, consegui até reconhecer algumas das marcas quando olhava para a plateia.

Eu não sabia direito por que aquelas fashionistas me queriam ali ou o que esperavam ouvir de mim. Mesmo assim, parecíamos ter uma boa química. Falei sobre como as pessoas tomam decisões, como comparam preços quando estão tentando descobrir o valor de algo, como nos comparamos com os outros e assim por diante. Elas riram quando eu esperava que rissem, fizeram perguntas ponderadas e compartilharam muitas de suas ideias interessantes. Quando terminei a palestra, Valerie Salembier, editora da *Harper's Bazaar*, subiu ao palco, agradeceu pela palestra e me presenteou com uma elegante bolsa de viagem Prada preta.

Depois de me despedir, deixei o prédio com minha nova bolsa Prada e rumei até a região de Downtown para meu próximo compromisso. Tinha algum tempo para matar e decidi ir a pé. Enquanto caminhava, não conseguia parar de pensar em minha grande bolsa de couro preta ostentando o logo da Prada. Debati comigo mesmo: devo carregar minha bolsa nova com o logo para a frente? Assim, outras pessoas poderiam vê-la e admirá-la (ou talvez apenas estranhar como alguém trajando calça jeans e tênis vermelhos poderia ter uma dessas). Ou eu deveria carregá-la com o logo voltado para mim, para que ninguém pudesse reconhecer que era uma Prada? Decidi por essa última alternativa e virei a bolsa.

Embora eu tivesse certeza de que com o logo oculto ninguém percebia que era uma bolsa Prada e não me considere alguém que se importa com a moda, algo parecia diferente em mim. Eu estava constantemente consciente da marca da bolsa. Estava usando Prada! E aquilo fazia com que me sentisse diferente: eu estava um pouco mais empertigado e andava com mais gingado. Imaginei o que aconteceria se usasse cuecas Ferrari. Eu me sentiria mais revigorado? Mais confiante? Mais ágil? Mais veloz?

Continuei andando e passei por Chinatown, que estava cheia de atividade, comidas, cheiros e vendedores ambulantes oferecendo suas mercadorias ao longo da Canal Street. Perto dali, observei um jovem casal na casa dos 20 anos conferindo a cena. Um chinês se aproximou e disse "Bolsas, bolsas!", inclinando a cabeça para indicar sua barraca. De início, o casal não reagiu. Depois de um tempo, a mulher perguntou ao chinês: "Você tem Prada?"

O vendedor fez quem sim com a cabeça. Observei-a consultando seu parceiro. Ele sorriu para ela e os dois seguiram o homem até sua barraca.

A Prada a que se referiam não era a legítima, claro. Nem os óculos de sol "de marca" por 5 dólares dispostos na sua barraca eram realmente Dolce & Gabbana. Nem os perfumes Armani perto das barracas de comida. Eram todos falsificações.*

De arminho a Armani

Vamos fazer uma pausa e examinar a história dos guarda-roupas, pensando especificamente em algo que os cientistas sociais chamam de sinalização externa, que é simplesmente a forma como comunicamos aos outros quem nós somos mediante o que vestimos.

Na Roma Antiga havia um conjunto de regulamentos chamados leis suntuárias, que, no decorrer dos séculos, infiltraram-se nas leis de quase todas as nações europeias. Entre outras coisas, essas leis determinavam quem poderia usar o quê, de acordo com sua posição e classe social. As regras entravam em um nível extraordinário de detalhamento. Por exemplo, na Inglaterra renascentista, somente a nobreza podia trajar certos tipos de peles, tecidos, rendas, contas decorativas por centímetro quadrado e assim por diante, ao passo que os aristocratas podiam trajar roupas decididamente menos atrativas. (Os mais pobres eram geralmente excluídos da lei, já que não fazia muito sentido regulamentar o uso de juta bolorenta, lã e cilício.)

Alguns grupos eram ainda mais diferenciados para não serem confundidos com pessoas "respeitáveis". Por exemplo, prostitutas tinham que usar toucas listradas para sinalizar sua "impureza" e os hereges eram às vezes forçados a usar remendos decorados com feixes de madeira indicando que poderiam ou deveriam ser queimados na fogueira. Em certo senti-

---

* O mercado de artigos falsificados obviamente vai bem além de Chinatown e Nova York. Após ganhar impulso por mais de 40 anos, o fenômeno é agora um negócio lucrativo. Falsificar é ilegal em quase todo o planeta, embora a severidade da punição varie de um país para outro, assim como varia a opinião das pessoas sobre moralidade de comprar produtos piratas. (Ver Frederick Balfour, "Fakes!", *BusinessWeek*, 7 de fevereiro de 2005.)

do, uma prostituta que saísse sem sua touca listrada obrigatória estava sob disfarce, como alguém usando óculos de sol Gucci falsificados. Uma touca uniforme, sem listras, enviava um falso sinal sobre o meio de vida e a posição econômica de uma mulher. Pessoas que "se vestissem acima de sua posição" estavam silenciosa mas diretamente mentindo para as demais. Embora se vestir acima de sua posição social não fosse um crime capital, aqueles que infringiam a lei eram muitas vezes castigados com multas e outras punições.

O que pode parecer um grau absurdo de compulsão obsessiva por parte da elite era na verdade um esforço para assegurar que as pessoas fossem o que sinalizavam ser. O sistema era concebido para eliminar a desordem e a confusão. (Tinha claramente algumas vantagens de sinalização, embora eu não esteja sugerindo que possamos trazê-lo de volta.) Ainda que o nosso sistema de categorias de vestimentas não seja tão rígido como foi no passado, o desejo de sinalizar sucesso e individualidade está mais forte do que nunca. Os privilegiados da moda agora vestem Armani em vez de arminho. E, assim como Freeda sabia que saltos plataforma Via Spiga não eram para todas, os sinais que enviamos são inegavelmente informativos para aqueles à nossa volta.

Ora, você pode achar que pessoas que compram produtos piratas não prejudicam o fabricante de moda, porque muitas delas jamais comprariam o produto original, para início de conversa. Mas é aí que entra em jogo o efeito da sinalização externa. Afinal, se um bando de gente compra cachecóis Burberry falsificados por 10 dólares, outras pessoas – a minoria que pode e quer comprar o produto legítimo – poderiam não estar dispostas a pagar 20 vezes mais pelos cachecóis autênticos. Se, ao ver alguém usando um Burberry xadrez legítimo ou carregando uma bolsa Louis Vuitton com o monograma LV, logo suspeitamos que são falsos, qual é o valor sinalizador de comprar a versão autêntica?

De acordo com essa perspectiva, os consumidores que compram as versões falsificadas diluem a potência da sinalização externa e desvalorizam a autenticidade do produto original (e de seu usuário). É por isso que as grifes e os fashionistas se preocupam tanto com a pirataria.

* * *

Ao pensar na minha experiência com a bolsa Prada, eu quis saber se havia outras forças psicológicas ligadas às falsificações que vão além da sinalização externa. Lá estava eu em Chinatown, segurando minha bolsa Prada autêntica, observando a mulher sair da loja segurando sua bolsa pirata. Apesar de eu não haver escolhido nem pagado a minha, tive a sensação de uma substancial diferença em como eu me relacionava com minha bolsa, e ela, com a sua.

Em termos mais gerais, comecei a refletir sobre a relação entre o que usamos e como nos comportamos, o que me fez pensar sobre um conceito que os cientistas sociais chamam de autossinalização. A ideia básica por trás da autossinalização é que, a despeito do que costumamos pensar, não temos uma noção muito clara de quem somos. Em geral acreditamos que temos uma visão privilegiada de nossas preferências e personalidade, mas na realidade não nos conhecemos tão bem assim (e definitivamente não tão bem quanto acreditamos). Em vez disso, observamos a nós mesmos do mesmo jeito que observamos e julgamos as ações das outras pessoas – inferindo das nossas ações quem somos e de que gostamos.

Por exemplo, imagine que você vê um pedinte na rua. Em vez de ignorá-lo ou dar dinheiro, você decide comprar-lhe um sanduíche. A ação em si não define quem você é, sua moralidade ou seu caráter, mas você interpreta a ação como sinal de seu caráter compassivo e caridoso. Agora, dotado dessa informação "nova", você começa a acreditar mais intensamente em sua benevolência. Trata-se da autossinalização funcionando.

O mesmo princípio poderia também se aplicar aos acessórios de moda. Carregar uma bolsa Prada autêntica – ainda que ninguém mais saiba que é autêntica – poderia nos fazer sentir e agir de forma um pouco diferente de quando carregamos uma bolsa falsificada. O que nos leva a perguntar: usar produtos falsificados consegue fazer com que nos sintamos menos legítimos? É possível que acessórios piratas nos afetem de formas inesperadas e negativas?

Um experimento de grife

Decidi falar com Freeda e contar do meu interesse recente pela moda. (Acho que ela ficou ainda mais surpresa do que eu.) Durante nossas conversas, Freeda prometeu convencer um estilista a me emprestar alguns itens para meus experimentos. Algumas semanas depois, recebi um pacote da marca Chloé contendo 20 bolsas e 20 óculos de sol. A nota acompanhando o pacote informava que as bolsas tinham um valor estimado de 40 mil dólares e os óculos de sol, de 7 mil dólares.

Dispondo daquelas mercadorias de luxo, Francesca Gino, Mike Norton (professor da Universidade Harvard) e eu resolvemos testar se participantes que usassem produtos falsificados se sentiriam e se comportariam de modo diferente daqueles usando os autênticos. Se nossos participantes sentissem que usar falsificações transmitiria (mesmo para si próprios) uma autoimagem menos respeitável, queríamos saber se poderiam começar a se considerar menos honestos. E, com essa autoimagem manchada em mente, será que teriam mais tendência a continuar resvalando na desonestidade?

Usando como chamariz os acessórios Chloé, atraímos várias estudantes de MBA para nosso experimento. (Concentramo-nos nas mulheres não porque achássemos que fossem diferentes dos homens em algum aspecto moral – na verdade, em todos os nossos experimentos anteriores não achamos quaisquer diferenças ligadas ao gênero –, mas porque os acessórios de que dispúnhamos eram destinados majoritariamente a esse público.) Ficamos em dúvida entre usar os óculos de sol ou as bolsas nos nossos primeiros experimentos, mas, quando percebemos que seria um pouco mais difícil explicar por que queríamos que nossas participantes percorressem o prédio com as bolsas, optamos pelos óculos de sol.

No início do experimento, escalamos cada mulher para uma dentre três condições. Na condição autêntica, informamos às participantes que estariam usando óculos de sol Chloé de grife. Na condição pirata, informamos que estariam usando óculos de sol falsificados que pareciam idênticos aos da Chloé (na verdade, todos os produtos usados eram originais). Finalmente, na condição sem informação, não dissemos nada sobre a autenticidade dos óculos de sol.

Uma vez que as mulheres colocavam seus óculos de sol, nós as encaminhávamos para o corredor, onde pedíamos que olhassem para diferentes cartazes e pelas janelas, de modo que pudessem depois avaliar a qualidade e a experiência de enxergar através daqueles óculos de sol. Pouco depois, nós as chamávamos para outra tarefa em outra sala. E qual era a tarefa? Adivinhou: enquanto as mulheres ainda usavam seus óculos de sol, demos a elas nosso velho amigo: o teste da matriz.

Agora imagine-se participando desse estudo. Você aparece no laboratório e é aleatoriamente escolhido para a condição pirata. A pesquisadora informa que seus óculos são falsificados e instrui você a testá-los para ver o que acha. Você recebe uma caixinha com aspecto autêntico (o logo é perfeito!), pega os óculos de sol, examina-os e coloca-os. Depois começa a percorrer o corredor, examinando diferentes cartazes e olhando pelas janelas. Mas, enquanto faz isso, o que se passa em sua cabeça? Você compara os óculos de sol com aqueles no seu carro ou com os que quebrou outro dia? Você pensa: "Uau, são bem convincentes! Ninguém saberia que são falsificados." Talvez você ache que o peso não está certo ou que o plástico parece vagabundo. E, se você pensa que aquele produto é pirata, isso faria você trapacear mais no teste da matriz? Menos? A mesma coisa?

Vamos ao que descobrimos. Como sempre, muitas pessoas trapacearam em umas poucas perguntas. Mas, enquanto "somente" 30% das participantes na condição autêntica informaram ter solucionado mais matrizes que na realidade, 74% daquelas na condição pirata informaram ter solucionado mais matrizes que na realidade.

Esses resultados deram origem a outra pergunta interessante. A suposta pirataria do produto fez as mulheres trapacearem mais do que fariam naturalmente? Ou a etiqueta Chloé genuína fez com que fossem mais honestas do que seriam em condições normais? Em outras palavras, qual foi mais poderosa: a autossinalização negativa na condição pirata ou a autossinalização positiva na condição autêntica?

Por isso tivemos também a condição de não informação (controle), na qual nada mencionamos sobre os óculos de sol serem originais ou falsos. Como a condição de não informação nos ajudaria? Digamos que as mulheres com óculos falsos trapaceassem no mesmo nível que aquelas na condição de não informação. Se isso ocorresse, poderíamos concluir que a etiqueta falsificada não tornou as mulheres mais desonestas do que já eram naturalmente e que a etiqueta genuína estava aumentando a honestidade. Por outro lado, se víssemos as mulheres com os óculos de sol Chloé originais trapacearem no mesmo nível que aquelas na condição de não informação (e bem menos que aquelas na condição da falsificação), concluiríamos que a etiqueta autêntica não tornou as mulheres mais honestas do que eram naturalmente e que a etiqueta falsa estava reduzindo a honestidade das mulheres.

Relembrando: 30% das mulheres na condição autêntica e 73% das mulheres na condição pirata exageraram o número de matrizes solucionadas. E na condição de não informação? Naquela condição, 42% das mulheres trapacearam. A condição de não informação ficou entre as duas, porém bem mais perto da condição autêntica (na verdade, as duas condições não foram estatisticamente diferentes). Esses resultados indicam que usar um produto genuíno não aumenta nossa honestidade (ou ao menos não muito). Mas, uma vez que conscientemente usamos um produto falsificado, as restrições morais se afrouxam em certo grau, tornando mais fácil dar novos passos no caminho da desonestidade.

Moral da história? Se você, seu amigo ou alguém com quem esteja saindo usa produtos piratas, cuidado! Outro ato de desonestidade pode estar mais próximo do que você espera.

O efeito "Que se dane"

Agora vamos parar um minuto e pensar novamente sobre o que acontece nas dietas. Quando você começa, faz um esforço enorme para cumprir as regras difíceis da dieta: meio mamão, uma fatia de torrada integral e um ovo poché no café da manhã. Frango grelhado e salada com molho light no almoço. Peixe assado e brócolis no vapor no jantar. Como vimos no capítulo anterior, você está agora honrosamente em privação.

Aí alguém coloca uma fatia de bolo na sua frente. No momento em que você cede à tentação e dá aquela primeira mordida, sua perspectiva muda. Você diz a si mesmo: "Ah, que se dane! Quebrei minha dieta, então por que não comer a fatia inteira – junto com aquele cheeseburger de dar água na boca e todos os acompanhamentos com que sonhei a semana toda? Vou reiniciar a dieta amanhã, ou talvez na segunda. E desta vez realmente vou seguir firme." Em outras palavras, tendo já manchado sua autoimagem de alguém em dieta, você decide rompê-la por completo e aproveitar ao máximo sua autoimagem livre da dieta (é claro que você não leva em conta que a mesma coisa pode ocorrer de novo amanhã e no dia seguinte, e assim por diante).

Para estudar esse deslize em mais detalhes, Francesca, Mike e eu queríamos examinar se falhar numa pequena coisa (como comer uma batata frita quando você deveria estar em dieta) pode levar alguém a abandonar o esforço por completo.

Desta vez, imagine que você está usando óculos de sol – sejam Chloé originais, falsificados ou sem autenticidade especificada. Em seguida você se senta diante de uma tela de computador onde é apresentado a um quadrado dividido em dois triângulos por uma linha diagonal. O teste começa e, por um segundo, 20 pontos aleatoriamente espalhados brilham dentro do quadrado (ver a figura abaixo). Depois os pontos desaparecem, deixando você com um quadrado vazio, a linha diagonal e dois botões de resposta, um marcado "Mais à direita" e outro marcado "Mais à esquerda". Usando um desses dois botões, sua tarefa consiste em indicar se existiam mais pontos à direita ou à esquerda da diagonal. Você faz isso 100 vezes. Ora o lado direito claramente tem mais pontos. Ora eles estão inequivocamente concentrados do lado esquerdo. Outras vezes é difícil dizer. Como pode imaginar, você se acostuma à tarefa, por mais tediosa que seja, e, após 100 respostas, o pesquisador consegue saber quão precisamente você faz esse tipo de julgamento.

Figura 2: Teste dos pontos

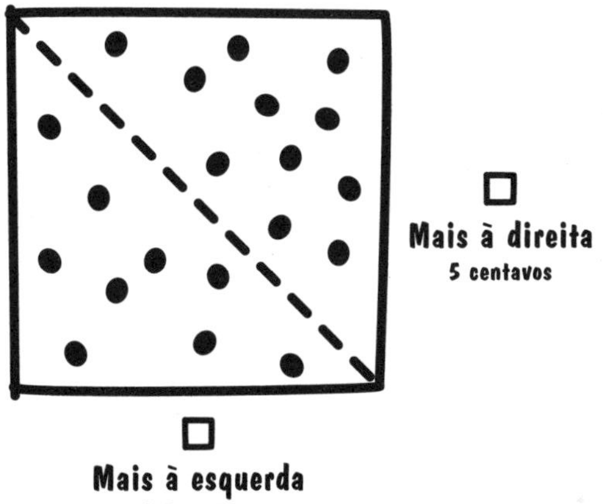

Depois, o computador lhe pede que repita a mesma tarefa mais 200 vezes. Só que, dessa vez, você será pago de acordo com suas decisões. Eis o detalhe-chave: independentemente da exatidão de suas respostas, cada vez que você seleciona o botão do lado esquerdo, receberá meio centavo, e, cada vez que selecionar o botão do lado direito, receberá 5 centavos (10 vezes mais dinheiro).

Com essa estrutura de incentivo, você ocasionalmente se defronta com um conflito de interesses básico. Sempre que vê mais pontos à direita, não existe problema ético, porque a resposta honesta (Mais à direita) é a mesma que rende mais dinheiro. Mas, quando você vê mais pontos à esquerda, precisa decidir se dá a resposta honesta (Mais à esquerda), como foi instruído, ou se maximiza seu lucro clicando no botão "Mais à direita". Ao criar esse sistema de pagamento distorcido, demos às participantes um incentivo para verem a realidade de uma forma um tantinho diferente e trapacearem clicando excessivamente no botão "Mais à direita". Em outras palavras, elas se depararam com um conflito entre dar uma resposta exata ou maximizar seu lucro. Trapacear ou não trapacear, eis a questão. E não esqueça: você está fazendo isso enquanto ainda usa os óculos de sol.

No fim das contas, nosso teste dos pontos mostrou os mesmos resultados gerais do teste da matriz, com muita gente trapaceando, mas só um pouco. O interessante é que também percebemos que o grau de trapaça foi especialmente maior para aquelas com os óculos de sol supostamente falsificados. Além disso, as que usavam óculos piratas trapacearam de maneira mais generalizada. Trapacearam mais quando era difícil saber qual lado tinha mais pontos e trapacearam mais mesmo quando estava claro que a resposta correta era Mais à esquerda (o lado com a menor recompensa financeira).

Esses foram os resultados gerais, mas o motivo original para criarmos o teste dos pontos foi observar como a trapaça evolui com o tempo em situações em que as pessoas têm muitas oportunidades de agir de maneira desonesta. Estávamos interessados em saber se nossas participantes começavam o experimento trapaceando só de vez em quando, tentando manter a crença na própria honestidade mas ao mesmo tempo se beneficiando de certa trapaça ocasional. Suspeitávamos que esse tipo de desonestidade equilibrada poderia durar por um tempo, mas que em algum ponto as participantes poderiam atingir seu "limiar de honestidade". E, uma vez transposto esse ponto, começariam a pensar: "Que se dane. Já que sou trapaceira, posso muito bem extrair o máximo disso." E dali em diante trapaceariam com muito mais frequência – ou mesmo em cada chance que obtivessem.

A primeira coisa que os resultados revelaram foi que o grau de desonestidade aumentou conforme o experimento prosseguia. E, como nossa intuição havia apontado, vimos também que, para muitas pessoas, houve uma transição bem nítida em algum ponto do experimento em que subitamente mudaram de um pouco de trapaça para trapacear em cada oportunidade que tivessem. Esse padrão geral de comportamento é o que esperaríamos do efeito "Que se dane" e veio à tona nas condições autêntica e pirata. Mas quem usava os óculos de sol falsificados mostrou uma tendência bem maior a abandonar suas restrições morais e trapacear a pleno vapor.*

Em termos do efeito "Que se dane", vimos que, quando se trata de trapacear, nós nos comportamos de maneira bem similar a quando estamos de dieta. Uma vez que começamos a violar nossos padrões (digamos, furando a dieta ou por incentivos monetários), ficamos bem mais propensos a abandonar novas tentativas de controlar nosso comportamento – e, daquele ponto em diante, existe uma boa chance de sucumbir à tentação e continuar nos comportando mal.

Parece, então, que as roupas fazem o homem (ou a mulher) e que usar produtos piratas exerce um efeito sobre decisões éticas. Como ocorre com muitas descobertas nas pesquisas da ciência social, existem meios de empregar essas informações para o bem e para o mal. Do lado negativo, dá para imaginar como as organizações poderiam lançar mão desse princípio para afrouxar a moralidade de seus funcionários de modo que achassem mais fácil "enganar" seus clientes, fornecedores, as agências reguladoras e os concorrentes e, assim, aumentar a receita da empresa à custa das outras partes. Do lado positivo, entender como funcionam as "escorregadas la-

---

* Você pode se perguntar se receber itens falsificados de presente teria o mesmo efeito de escolher um produto pirata para si. Tivemos a mesma dúvida e testamos essa questão em outro experimento. Descobrimos que não importa se adquirimos um produto falsificado por escolha própria ou não. Uma vez que dispomos de um produto desse tipo, apresentamos uma inclinação maior para a trapaça.

deira abaixo" pode nos levar a prestar mais atenção nos casos iniciais de transgressão e nos ajudar a acionar os freios antes que seja tarde demais.

Desconfiar dos outros

Tendo concluído esses experimentos, Francesca, Mike e eu tínhamos indícios de que usar produtos falsificados afeta nossa visão de nós mesmos e que, uma vez que nos vemos como trapaceiros, começamos a nos comportar de forma mais desonesta. O que nos levou a outra pergunta: se usar produtos piratas muda a visão do nosso comportamento, também faz com que desconfiemos mais dos outros?

Para descobrir, pedimos a outro grupo de participantes que pusessem o que informamos serem óculos de sol Chloé originais ou falsificados. Mais uma vez elas percorreram devidamente o corredor examinando diferentes cartazes e vistas das janelas. Entretanto, quando as chamamos de volta ao laboratório, não pedimos que realizassem nosso teste da matriz ou o dos pontos. Em vez disso, pedimos que respondessem a uma pesquisa meio longa sem tirar os óculos de sol. Nessa pesquisa fizemos uma série de perguntas irrelevantes visando turvar o verdadeiro objetivo do estudo. Entre essas perguntas, incluímos três conjuntos de questões para medir como nossas participantes interpretavam e avaliavam a moralidade dos outros.

As perguntas no conjunto A pediam às participantes que estimassem as chances de conhecidos delas se envolverem em vários comportamentos eticamente questionáveis. As perguntas do conjunto B pediam que estimassem as chances de as pessoas estarem mentindo quando dizem certas frases. Finalmente, o conjunto C apresentou às participantes dois cenários retratando alguém com a oportunidade de se comportar de maneira desonesta e depois pediu que estimassem as chances de que aquela pessoa aproveitaria a oportunidade para trapacear. Eis as questões dos três conjuntos:

Conjunto A: Quais são as chances de conhecidos seus se envolverem nos seguintes comportamentos?
- Ficar na fila do caixa rápido no mercado com mais produtos do que o permitido.
- Tentar embarcar num avião antes que seu grupo seja chamado.

- Superfaturar o relatório de despesas de viagem.
- Informar ao supervisor que um projeto está avançando quando nada foi feito.
- Levar para casa material de escritório da empresa.
- Mentir para uma seguradora sobre o valor dos produtos danificados.
- Comprar uma roupa, usá-la e devolver à loja.
- Mentir ao cônjuge sobre o número de parceiros sexuais que teve.

Conjunto B: Quando as seguintes frases são enunciadas, quais as chances de que sejam mentira?
- Desculpe o atraso, mas o trânsito estava terrível.
- Minha média na faculdade é 10.
- Foi bom conhecer você. Vamos almoçar um dia desses.
- Vou começar a trabalhar nisto esta noite sem falta.
- Sim, John esteve comigo ontem à noite.
- Achei que já tivesse enviado esse e-mail. Tenho certeza que enviei.

Conjunto C: Quais são as chances de que estes indivíduos tomarão a atitude descrita?
- Steve é gerente operacional de uma empresa que produz pesticidas e fertilizantes para gramados e jardins. Certa substância química tóxica será proibida daqui a um ano e, por essa razão, está baratíssima agora. Se Steve comprar essa substância e fabricar e distribuir seu produto com rapidez suficiente, conseguirá obter um bom lucro. Estime as chances de Steve vender essa substância enquanto ainda é legal.
- Dave é gerente operacional de uma empresa que produz alimentos saudáveis. Uma de suas bebidas de frutas orgânicas tem 109 calorias por porção. Dave sabe que as pessoas evitam transpor o limiar crítico das 100 calorias. Ele poderia reduzir o tamanho da porção em 10%. O rótulo então dirá que cada porção tem 98 calorias e, em letras miúdas, estará escrito que cada garrafa contém 2,2 porções. Estime as chances de Dave reduzir o tamanho para não transpor o limiar de 100 calorias por porção.

Quais foram os resultados? Você deve ter adivinhado. Ao refletir sobre o comportamento de pessoas conhecidas (conjunto A), as participantes na condição pirata as julgaram mais propensas a se comportar desonestamente que as participantes na condição autêntica. Elas também interpretaram a lista de desculpas comuns (conjunto B) como mais passíveis de ser mentiras e julgaram os sujeitos nos dois cenários (conjunto C) como mais inclinados a escolher a opção mais antiética. No fim, concluímos que produtos falsificados não apenas tendem a nos tornar mais desonestos – eles fazem com que vejamos os outros como menos honestos também.

Fingir até conseguir

Então, o que podemos fazer com todos esses achados?

Primeiro, vamos pensar nas grifes de luxo, que vêm enfrentando a pirataria há décadas. Pode ser difícil simpatizar com elas. Talvez você pense que, fora do seu círculo imediato, ninguém deveria se importar com as "dores" dos estilistas sofisticados que atendem aos ricaços. Ao ser tentado a comprar uma bolsa Prada falsificada, você poderia dizer a si próprio: "Bem, produtos de grife são caros demais e é besteira pagar pelo item original." Ou poderia dizer: "Eu jamais cogitaria comprar o produto original, portanto o estilista não está perdendo nenhum dinheiro." Ou talvez você dissesse: "Essas grifes ganham tanto dinheiro que ter umas poucas pessoas comprando produtos piratas não faz nenhuma diferença." Sejam quais forem as racionalizações que venham à nossa cabeça – e somos exímios em racionalizar nossas ações para que se alinhem com nossas motivações egoístas –, é difícil achar muitas pessoas que sintam que o problema enfrentado pelas grifes de moda de luxo é uma preocupação pessoal grave.

Mas nossos resultados mostram que existe uma outra história mais traiçoeira aqui. As grifes de moda de luxo não são as únicas que pagam um preço pela pirataria. Graças à autossinalização e ao efeito "Que se dane", um único ato de desonestidade pode mudar o comportamento de uma pessoa daquele ponto em diante. Além disso, se é um ato de desonestidade que vem com um grande lembrete embutido (pense nos óculos de sol falsificados com um grande "Gucci" gravado nas hastes), a influência ladeira abaixo poderia ser mais duradoura e substancial. Em última análise, isso significa que todos pagamos um preço pela pirataria em termos de moeda moral. Usar produtos falsificados muda nosso comportamento, nossa autoimagem e a forma como vemos as pessoas à nossa volta.*

Consideremos, por exemplo, o fato de que diplomas acadêmicos estão pendurados em muitas salas de executivos ao redor do mundo e decoram um número ainda maior de currículos. Alguns anos atrás, *The Wall Street Journal* publicou uma matéria sobre executivos que falseiam suas credenciais acadêmicas, apontando para grandes magnatas como Kenneth Keiser, na época presidente da PepsiAmericas, Inc. Embora tivesse cursado a Universidade Estadual de Michigan, Keiser não chegou a se formar. Mesmo assim, por muito tempo ele consentiu que artigos afirmassem que ele obteve um bacharelado daquela universidade[1] (claro que pode ter sido um mero mal-entendido).

Ou consideremos o caso de Marilee Jones, coautora do popular guia chamado *Less Stress, More Success: A New Approach to Guiding Your Teen Through College Admissions and Beyond* (Menos estresse, mais sucesso: uma nova abordagem para orientar seu filho adolescente para a admissão na faculdade e muito mais), em que, entre outras coisas, defende o "Seja você mesmo" para ter sucesso na candidatura à faculdade e na busca por emprego. Ela foi diretora de admissões do MIT e, por 25 anos, pelo que consta, desempenhou seu trabalho muito bem. Só teve um problema: ela acrescentara vários diplomas fictícios ao currículo para obter o emprego lá no início. Um ato de trapaça pura e simples. A ironia de sua queda em desgraça não passou despercebida a Jones. Ela pediu desculpas por não "ter tido a coragem" de corrigir os "erros" em seu currículo falso em algum momento durante seu tempo de serviço. Quando uma defensora extremamente popular do "Seja você mesmo" é derrubada por falsas credenciais, o que o restante de nós deve pensar?

Se você considera esse tipo de desonestidade no contexto do efeito "Que se dane", pode ser que credenciais acadêmicas falsas comecem um tanto inocentes, talvez no espírito de "Finja até conseguir", mas, depois que um desses atos se estabelece, pode ocasionar um padrão moral mais frouxo e uma maior tendência a trapacear em outras áreas. Por exemplo, se um exe-

---

* Você pode querer saber se as pessoas têm consciência das consequências posteriores da pirataria. Testamos isso também e descobrimos que elas ignoram esses efeitos.

cutivo que nunca se formou põe lembretes constantes de seu diploma falso em seu papel timbrado, cartões de visita, currículo e site, não é exagero imaginar que poderia também começar a mentir nos relatórios de despesas, nas horas faturáveis ou no uso abusivo dos recursos da empresa. Afinal, dado o efeito "Que se dane", é possível que um ato inicial de trapaça eleve o nível geral de desonestidade autossinalizada do executivo, aumentando a margem de manobra, o que daria origem a mais fraudes.

A conclusão é que não deveríamos ver um ato isolado de desonestidade como algo insignificante. Costumamos perdoar as pessoas pelo primeiro delito achando que é apenas a primeira vez e que todo mundo comete erros. Embora isso possa ser verdade, deveríamos também perceber que o primeiro ato de desonestidade pode ser particularmente importante em moldar a forma como alguém vê a si mesmo e suas ações daquele ponto em diante – e, por causa disso, o primeiro ato desonesto é o mais importante de se impedir. Daí a necessidade de reduzir o número de atos de desonestidade isolados aparentemente inócuos. Se o fizermos, a sociedade poderá se tornar mais honesta e menos corrupta com o tempo (para mais a respeito, ver o Capítulo 8).

(NÃO) ROUBE ESTE LIVRO

Finalmente, nenhuma discussão sobre pirataria de grifes poderia ser completa sem mencionar seu primo, o download ilegal. (Imagine experimentos semelhantes aos feitos com os óculos de sol falsificados, mas usando séries ou filmes baixados ilegalmente.) Permita que eu compartilhe uma história sobre uma época em que aprendi algo interessante sobre downloads ilegais. Nesse caso particular, fui a vítima. Alguns meses após a publicação do meu livro *Previsivelmente irracional*, recebi o seguinte e-mail:

Caro Sr. Ariely,
Acabo de ouvir o arquivo pirata de seu audiolivro que baixei hoje de manhã e gostaria de lhe contar como gostei dele.
Sou um afro-americano de 30 anos de uma área pobre na periferia de Chicago e, nos últimos cinco anos, tenho ganhado a vida vendendo ilegalmente CDs e DVDs. Sou a única pessoa de minha família que não está na

cadeia ou morando na rua. Como o último sobrevivente de um núcleo familiar que representa tudo que há de errado nos Estados Unidos e como alguém violando a lei agora, sei que é mera questão de tempo até que eu me junte aos meus parentes na prisão.

Algum tempo atrás consegui um emprego em período integral e fiquei empolgado com a ideia de iniciar uma vida mais digna. Mas, logo depois de começar, abandonei o emprego e voltei ao meu negócio ilegal. O motivo foi a dor que senti ao abrir mão de meu negócio ilegal, que construí e desenvolvi por cinco anos. Eu era dono dele e não conseguia achar um emprego que me desse a mesma sensação de posse. Desnecessário dizer, eu poderia realmente me identificar com sua pesquisa sobre propriedade.

Mas algo diferente foi igualmente importante ao me atrair de volta ao negócio ilegal. Na loja varejista legal onde eu trabalhava, as pessoas costumavam conversar sobre fidelidade e cuidar de seus clientes, mas não creio que entendessem o que isso significa. No setor ilegal, fidelidade e cuidado são bem mais fortes e mais intensos que qualquer coisa que encontrei no varejo legal. No decorrer dos anos, desenvolvi uma rede de umas 100 pessoas que gentilmente compram produtos comigo. Tornamo-nos amigos de verdade com conexões reais e desenvolvemos um nível profundo de preocupação uns com os outros. Isso dificultou bastante a tarefa de abrir mão do negócio, pois abriria mão da amizade deles no processo.

Estou contente por ter escutado seu livro.

Elijah

Após receber esse e-mail de Elijah, fiz uma busca na internet e achei algumas versões para download do meu audiolivro e algumas cópias escaneadas da edição impressa (que, devo admitir, eram de alta qualidade, incluindo capa e quarta capa, todos os créditos e referências, e até o copyright, o que particularmente apreciei).

Seja qual for sua posição no espectro ideológico de "As informações devem ser livres", ver o próprio trabalho distribuído de graça sem permissão torna toda a questão dos downloads ilegais um pouco mais pessoal, menos abstrata e mais complexa. Por outro lado, fico muito contente

> com o fato de as pessoas estarem lendo sobre minhas pesquisas e, espero, se beneficiando delas. Quanto mais, melhor – afinal, é por isso que escrevo. Por outro lado, também entendo o aborrecimento daqueles cujo trabalho vem sendo ilegalmente copiado e vendido. Por sorte tenho um emprego fixo, mas estou certo de que, se eu dependesse da venda de livros como principal fonte de renda, os downloads ilegais seriam, em vez de uma curiosidade intelectual, bem mais difíceis de engolir.
> Quanto a Elijah, acho que fizemos uma troca justa. É bem verdade que ele copiou ilegalmente meu audiolivro (e ganhou algum dinheiro com isso), mas aprendi algo interessante sobre lealdade e cuidado com os clientes no setor ilegal, e até obtive uma ideia para uma possível pesquisa futura.

Com tudo isso em mente, como podemos combater nossa deterioração moral, o efeito "Que se dane" e o potencial de que um ato transgressor resulte em efeitos negativos de longo prazo em nossa moralidade? Seja no negócio da moda ou em outros ramos, precisa ficar claro que um ato imoral pode tornar outro mais provável e que atos imorais em um domínio podem influenciar nossa moralidade em outros domínios. Assim, deveríamos ficar de olho em sinais prematuros de comportamentos desonestos e fazer o possível para extirpá-los em seus estágios iniciais antes que floresçam plenamente.

E quanto à bolsa Prada que deu origem a todo esse projeto de pesquisa? Tomei a única decisão racional possível: dei de presente à minha mãe.

6

ENGANANDO A NÓS MESMOS

Imagine que você está numa praia de areia macia. A maré está baixando, criando uma vasta área molhada para perambular. Você está rumando ao lugar aonde vai de tempos em tempos para dar uma paquerada. Ah, e você é um exuberante siri-azul. Na verdade, você vai disputar com outros siris quem consegue conquistar a predileção das fêmeas.

Mais adiante você vê uma coisinha bonitinha com garras atraentes. Ao mesmo tempo, nota que seu concorrente está se aproximando rápido. Você sabe que a forma ideal de lidar com a situação é assustar os demais siris. Assim não precisará entrar numa briga e arriscar se machucar ou, pior, perder a chance de acasalar. Então precisa convencer os demais siris de que é maior e mais forte. Ao se aproximar do seu concorrente, sente que tem que enfatizar seu tamanho. No entanto, se você apenas fingir que é maior erguendo-se sobre suas patas e agitando as garras sem muita convicção, provavelmente vai se trair. O que fazer?

O que você precisa fazer é se animar e começar a crer que é maior e mais durão do que de fato é. "Sabendo" que é o maior siri da praia, você se ergue quanto pode sobre as patas traseiras e estende suas garras o mais longe e alto possível (galhadas, caudas de pavões e peito inflado ajudam outros animais machos a fazer o mesmo). Acreditar em sua mentira significa que você não recuará. E sua autoconfiança (exagerada) pode intimidar seus oponentes.

★ ★ ★

Agora, voltando para nossa realidade. Como seres humanos, dispomos de meios ligeiramente mais sofisticados que nossos colegas animais de nos destacarmos. Temos a capacidade de mentir – não apenas para os outros, mas também para nós mesmos. O autoengano é uma estratégia útil para acreditarmos nas histórias que contamos e, quando temos sucesso, fica menos provável recuar e sinalizar sem querer que diferimos daquilo que fingimos ser. Não estou defendendo a mentira como meio de obtenção de um parceiro, um emprego ou qualquer outra coisa. Mas, neste capítulo, veremos como somos capazes de enganar a nós mesmos ao tentar enganar os outros.

É claro que não conseguimos instantaneamente acreditar em cada uma de nossas mentiras. Por exemplo, digamos que você está num encontro tentando impressionar uma pessoa. Uma ideia maluca surge na sua cabeça: dizer que tem brevê de piloto. Ainda que ela acreditasse na sua história, dificilmente você se convencerá de que de fato tem o brevê e começará a sugerir aos pilotos do seu próximo voo como melhorar suas aterrissagens. Por outro lado, digamos que você saia para correr com um amigo e os dois comecem a discutir sobre os melhores tempos na corrida. Você diz ao seu amigo que correu um quilômetro em menos de quatro minutos, quando na realidade seu melhor tempo esteve mais perto dos cinco. Alguns dias depois, conta a outra pessoa a mesma coisa. Após repetir essa afirmação um tanto exagerada várias vezes, você pode acabar esquecendo que na verdade não rompeu a marca dos quatro minutos. Pode vir a acreditar tão fortemente que talvez até se disponha a apostar dinheiro nisso.

Vou contar uma história de uma época em que mergulhei de cabeça na minha farsa. No verão de 1989, cerca de dois anos depois que deixei o hospital, meu amigo Ken e eu decidimos viajar de Nova York a Londres para ver outro amigo. Compramos passagens no voo mais barato para a capital inglesa, que por acaso era pela Air India. Quando o táxi se aproximou do aeroporto, ficamos desanimados com a fila gigante saindo do terminal. Pensando rápido, Ken teve esta ideia: "Por que não colocamos você numa cadeira de rodas?" Pensei na sugestão. Não apenas eu teria mais conforto como conseguiríamos embarcar bem mais rápido. (Para ser sincero, para mim é difícil ficar de pé por um tempo prolongado, porque a circulação nas minhas pernas ficou prejudicada. Mas não preciso de uma cadeira de rodas.)

Ambos nos convencemos de que era um bom plano, de modo que Ken saltou do táxi e voltou com uma cadeira de rodas. Passamos depressa pelo check-in e, com duas horas extras para matar, aproveitamos para tomar um café e comer um sanduíche. Mas aí precisei ir ao banheiro. Assim, Ken me empurrou na cadeira de rodas até o toalete mais próximo, que infelizmente não tinha sido projetado para comportar uma cadeira de rodas. Mas continuei representando meu papel. Aproximamos a cadeira de rodas do vaso sanitário o máximo possível e tentei acertar o alvo a distância, com sucesso limitado.

Depois que passamos pelo desafio do banheiro, chegou a hora do embarque. Nossos assentos ficavam na fileira 30 e, ao nos aproximarmos da porta do avião, percebi que a cadeira de rodas seria larga demais para o corredor. Então fizemos o que meu novo papel determinava: deixei a cadeira de rodas na entrada do avião, apoiei-me nos ombros de Ken e ele me carregou até nossos assentos.

Enquanto esperava que o avião decolasse, eu me sentia aborrecido com o fato de o toalete no aeroporto não ser acessível a cadeirantes e a companhia aérea não ter fornecido uma cadeira de rodas mais estreita para eu alcançar meu assento. A irritação aumentou quando percebi que não poderia beber nada no voo de seis horas porque não haveria como continuar o fingimento e usar o banheiro. A próxima dificuldade surgiu quando aterrissamos em Londres. Outra vez Ken teve que me carregar até a porta da frente do avião e, como a companhia aérea não dispunha de uma cadeira de rodas nos aguardando, tivemos que esperar.

Essa pequena aventura me fez compreender as irritações diárias das pessoas com deficiências em geral. Na verdade, fiquei tão furioso que decidi ir reclamar ao chefe da Air India em Londres. Depois que conseguimos a cadeira de rodas, Ken me levou ao escritório da companhia e, com um ar exagerado de indignação, descrevi cada dificuldade e humilhação e repreendi o diretor regional da Air India pela falta de preocupação da empresa com as pessoas deficientes em todos os lugares. Ele pediu profundas desculpas e depois daquilo fomos embora.

O estranho foi que, no decorrer do processo, eu sabia que conseguia andar, mas incorporei meu papel tão rápida e completamente e minha indignação pareceu tão real que era como se eu tivesse um motivo legítimo para estar aborrecido. Depois daquilo tudo, fomos até a área de restituição de bagagens, onde apanhei minha mochila e saí andando normalmente, como Keyser Söze no filme *Os suspeitos*.

Para examinar mais seriamente o autoengano, Zoë Chance (pós-doutoranda em Yale), Mike Norton, Francesca Gino e eu resolvemos investigar como e quando nos induzimos a acreditar em nossas mentiras e se há meios de impedir isso.

Na primeira fase de nossa exploração, os participantes fizeram um teste semelhante ao de QI com oito perguntas de matemática (uma das perguntas, por exemplo, era: "Qual é o número que é metade de um quarto de um décimo de 400?"). Depois que terminavam de fazer o teste, os participantes do grupo de controle entregavam suas respostas ao pesquisador, que conferia tudo. Com isso pudemos aferir o desempenho médio no teste.*

Na condição em que trapacear era possível, os participantes tinham o gabarito no rodapé da página. Eles eram informados de que o gabarito estava ali para que pudessem medir seu desempenho no teste e também para ajudá-los a estimar quão bons eram em responder àquele tipo de pergunta. No entanto, eles eram orientados a responder às perguntas primeiro e somente depois consultar o gabarito. Após responder a todas as perguntas, os participantes conferiam as respostas e informavam seu desempenho.

O que os resultados da primeira fase do estudo mostraram? Como esperávamos, o grupo com a oportunidade de "conferir suas respostas" teve alguns pontos a mais em média, indicando que usaram o gabarito não apenas para aferir sua nota, mas também para melhorar seu desempenho. Como

---

* Usamos esse tipo de questão (parecida com as dos exames do final do ensino médio) em vez de nossas matrizes-padrão porque esperávamos que tais perguntas levariam mais naturalmente à sensação de "Eu já sabia" e ao autoengano.

aconteceu em todos os nossos outros experimentos, constatamos que as pessoas trapaceiam quando têm a chance, mas não muito.

Aumentando minha pontuação no teste Mensa

A inspiração para esse ambiente experimental veio de uma dessas revistas de cortesia que você acha nas poltronas dos aviões. Durante um voo, eu estava folheando uma revista e descobri um teste de QI Mensa (perguntas que visam medir a inteligência). Como sou meio competitivo, não resisti. As instruções diziam que as respostas estavam nas últimas páginas da revista. Depois que respondi à primeira pergunta, folheei até o final para ver se tinha acertado e, pasmem, tinha. Mas, ao continuar o teste, também percebi que, ao conferir a resposta da pergunta que acabava de solucionar, meus olhos resvalavam um pouquinho até a resposta seguinte. Tendo olhado a resposta da pergunta seguinte, eu considerava o próximo problema bem mais fácil.

No fim do teste, eu tinha conseguido acertar a maioria das perguntas, o que tornou mais natural acreditar que eu era algum tipo de gênio. Mas aí tive que me perguntar se minha nota foi tão alta porque sou superdotado ou porque havia visto as respostas com o canto do olho (é claro que minha inclinação foi atribuir o resultado à minha inteligência).

O mesmo processo básico pode ocorrer em qualquer teste em que as respostas estejam disponíveis em outra página ou escritas de cabeça para baixo, como é comum em revistas. Com frequência usamos as respostas quando fazemos testes para nos convencermos de que somos inteligentes ou, se erramos uma resposta, de que cometemos um erro tolo que jamais cometeríamos durante um exame de verdade. De qualquer modo, acabamos tendo uma ideia exagerada de quão brilhantes realmente somos – algo que em geral aceitamos com satisfação.

Os resultados da primeira fase de nossos experimentos mostraram que os participantes tendiam a olhar antes as respostas como forma de melhorar suas notas. Mas essa constatação não nos informava se praticavam a trapaça tradicional direta ou se estavam enganando a si mesmos. Em outras palavras, ainda ignorávamos se os participantes sabiam que estavam trapaceando ou se eles se convenciam de que sabiam de fato as respostas certas desde o princípio. Para descobrir, acrescentamos outro componente ao nosso próximo experimento.

Imagine que você está participando de um experimento semelhante ao anterior. Você se submeteu ao teste de oito perguntas e respondeu quatro corretamente (50%), mas, graças às respostas no rodapé da página, alegou que resolveu seis corretamente (75%). Ora, você acha que sua habilidade real está na faixa dos 50% ou acha que está na faixa dos 75%? Por um lado, você pode estar ciente de que usou o gabarito para aumentar sua pontuação e ter noção de que sua habilidade real está mais perto da marca dos 50%. Por outro lado, sabendo que foi pago como se realmente tivesse solucionado seis problemas, talvez você consiga se convencer de que sua habilidade de solucionar tais perguntas está mais perto do nível de 75%.

É aí que entra a segunda fase do experimento. Após terminar o teste de matemática, o pesquisador pede que você preveja quão bem se sairá no próximo teste, em que terá que responder a 100 perguntas da mesma natureza. Dessa vez, está claro que não vai haver quaisquer respostas no rodapé da página (e, portanto, nenhuma chance de consultar o gabarito). Que desempenho você prevê que terá no próximo teste? Sua previsão se baseará em sua habilidade real na primeira fase (50%) ou na habilidade exagerada (75%)?

Eis a lógica: se você está ciente de que usou o gabarito no teste anterior para aumentar artificialmente sua pontuação, irá prever que solucionará a mesma proporção de perguntas que resolveu sem ajuda no primeiro teste (quatro em oito, ou 50%). Mas digamos que você começou a acreditar que de fato respondeu a seis perguntas corretamente sem auxílio e não por ter olhado as respostas. Agora você pode prever que no próximo teste também resolverá uma porcentagem bem maior de perguntas (mais perto de 75%). Na verdade, você só consegue solucionar, cerca de metade das perguntas, mas seu autoengano pode inflá-lo, como no caso do siri, e aumentar a confiança na própria habilidade.

Os resultados mostraram que os participantes experimentaram o último tipo de autoadulação exagerada. As previsões do desempenho na segunda fase do teste indicaram que, além de usar o gabarito na primeira fase para exagerar sua pontuação, os participantes haviam se convencido depressa de que de fato mereceram os pontos. Basicamente, aqueles que tiveram a chance de conferir as respostas na primeira fase (e trapacearam) começaram a acreditar que seu desempenho exagerado refletia sua verdadeira habilidade.

Mas o que aconteceria se pagássemos aos participantes para prever sua pontuação de maneira precisa na segunda fase? Com dinheiro em jogo, talvez eles não ignorassem de maneira tão explícita o fato de que, na primeira fase, haviam usado o gabarito para melhorar sua pontuação. Com essa finalidade, repetimos o mesmo experimento com um novo grupo de participantes, dessa vez oferecendo até 20 dólares se previssem corretamente seu desempenho no segundo teste. Mesmo com um incentivo financeiro para

EU JÁ SABIA

Dou muitas palestras sobre minhas pesquisas para diferentes grupos, de acadêmicos até operários da indústria. Logo que comecei, eu costumava descrever um experimento, os resultados e, por fim, o que achava que poderíamos aprender com ele. Mas muitas vezes constatava que as pessoas não se surpreendiam com os resultados e ficavam ansiosas por me dizer isso. Eu achava aquilo intrigante, porque, como a pessoa que realizou as pesquisas, eu mesmo muitas vezes me surpreendi com as conclusões. Será que as pessoas do público eram tão perspicazes assim? Como sabiam dos achados antes de mim? Ou se tratava apenas de uma sensação de "intuição em retrospectiva"?

Acabei descobrindo um meio de combater aquela sensação de "Eu já sabia". Comecei a pedir ao público que previsse os resultados dos experimentos. Depois que terminava de descrever o cenário e o que nós medimos, eu dava uns segundos para pensarem sobre aquilo. Depois, pedia que votassem numa das opções ou anotassem sua previsão. Somente depois que davam suas respostas eu fornecia os resultados. A boa notícia é que essa abordagem funciona. Com esse método de perguntar primeiro, raramente recebo a reação "Eu já sabia".

Em homenagem à nossa tendência natural de nos convencermos de que já sabíamos as respostas certas, chamei meu centro de pesquisas na Universidade Duke de The Center for Advanced Hindsight (O Centro da Visão Retrospectiva Avançada).

serem precisos, eles continuaram tendendo a atribuir a si mesmos todo o mérito por sua pontuação e a superestimar suas habilidades. Ainda que tivessem uma forte motivação para não exagerar, o autoengano acabou dominando.

Nosso amor ao exagero

Certa vez, no início da década de 1990, o aclamado diretor de cinema Stanley Kubrick ficou sabendo por seu assistente que um homem vinha fingindo ser ele. O falso Kubrick (cujo nome real era Alan Conway e que em nada se assemelhava ao diretor de barba escura) percorria Londres contando às pessoas que era aquele homem famoso. Como o Stanley Kubrick real era um sujeito muito reservado que evitava os paparazzi, poucas pessoas tinham uma ideia de sua aparência. Assim, muita gente crédula, empolgada por "conhecer" pessoalmente o famoso diretor, mordia a isca de Conway.

A Warner Bros., que financiava e distribuía os filmes de Kubrick, começou a ligar para o escritório do diretor quase todo dia com novas queixas de pessoas que não conseguiam entender por que "Stanley" não voltava a contatá-las. Afinal, elas o tinham agradado com drinques e jantares e pago seu táxi, e ele lhes prometera uma ponta no seu próximo filme!

Um dia, Frank Rich, ex-crítico de teatro e colunista do *The New York Times*, estava jantando num restaurante londrino com sua esposa e outro casal. Acontece que o imitador de Kubrick estava sentado numa mesa próxima com um parlamentar e outros homens jovens, deleitando-os com histórias das maravilhas da sua atividade de cineasta. Quando o impostor viu Rich na mesa ao lado, aproximou-se e disse ao crítico que estava inclinado a processar o *The New York Times* por tê-lo chamado de "criativamente dormente". Rich, empolgado por conhecer o recluso "Kubrick", pediu uma entrevista. Conway disse a Rich que telefonasse, forneceu o número de sua casa e... desapareceu.

Pouco depois daquele encontro, as coisas começaram a degringolar para Conway quando Rich e outros se tocaram de que haviam sido enganados. A verdade acabou vindo à tona quando o impostor passou a vender sua história a jornalistas. Ele alegou que vinha se recuperando de um distúrbio mental ("Foi esquisito. Kubrick se apossou de mim. Eu realmente acreditava ser ele!"). No fim, Conway morreu como um alcoólatra, sem um tostão furado, apenas quatro meses antes de Kubrick.*

Ainda que essa história seja bem radical, Conway pode ter mesmo acreditado que era Kubrick quando estava circulando disfarçado, o que levanta a seguinte questão: será que alguns de nós são mais propensos a acreditar nas próprias mentiras?

Para examinar essa possibilidade, criamos um experimento que repetiu o teste básico do autoengano, mas dessa vez medimos também a tendência geral dos participantes a fazer vista grossa aos próprios fracassos. Para mensurar isso, pedimos aos participantes que concordassem ou discordassem de umas poucas afirmações, tais como "Minhas primeiras impressões das pessoas costumam estar certas" e "Eu nunca escondo meus erros". Queríamos ver se as pessoas que mais concordavam com essas afirmações também tinham uma tendência maior ao autoengano em nosso experimento.

Assim como antes, constatamos que aqueles na condição do gabarito trapacearam e obtiveram pontuações maiores. De novo, previram que iriam responder corretamente a mais perguntas no teste seguinte. E, de novo, perderam dinheiro, porque exageraram na previsão e superestimaram sua habilidade. E quanto àqueles que mais concordaram com as afirmações sobre as próprias propensões? Foram muitos, e foram eles que previram que se sairiam melhor no nosso teste da segunda fase.

Existem provavelmente muitas razões pelas quais as pessoas exageram seus históricos. Mas a frequência dos relatos de gente mentindo sobre currículo, diploma e história pessoal suscita algumas perguntas interessantes: será que, quando mentimos publicamente, a mentira registrada age como um marcador de realização que nos "lembra" de nossa falsa realização e ajuda a consolidar a ficção na trama de nossa vida? Assim, se um troféu, faixa ou certificado reconhece algo que nunca alcançamos, esse marcador de realização nos ajudaria a persistir nas falsas crenças sobre nossa capacidade? Tais certificados aumentariam nosso potencial para o autoengano?

★ ★ ★

---

* A história foi revelada pelo assistente de Kubrick, Anthony Frewin, na revista *Stop Smiling*, sendo a base do filme *Totalmente Kubrick*, com John Malkovich no papel de Conway.

VETERANOS HEROICOS?

Em 1959, o último "veterano sobrevivente da Guerra Civil", Walter Williams, morreu. Teve um funeral majestoso, incluindo um desfile para dezenas de milhares de espectadores, e uma semana de luto oficial. Muitos anos depois, porém, um jornalista chamado William Marvel descobriu que Williams tinha apenas 5 anos quando a guerra começou, o que significava que não teria idade suficiente, em qualquer altura da guerra, para servir nas Forças Armadas. Mas a coisa piora ainda mais. O título que Walter Williams levou falsamente ao túmulo fora repassado para ele por um homem chamado John Salling, que, como Marvel descobriu, também havia se denominado falsamente o veterano mais antigo da Guerra Civil. De fato, Marvel afirma que os últimos doze denominados veteranos mais antigos da Guerra Civil eram todos falsos.

Existe um sem-número de outras histórias como essas, mesmo em guerras recentes, em que se poderia pensar que seria mais difícil inventar e sustentar tais alegações. Em um exemplo, o sargento Thomas Larez teve vários ferimentos de arma de fogo combatendo os talibãs no Afeganistão enquanto ajudava um soldado ferido a se proteger. Não apenas salvou a vida do amigo, mas ainda conseguiu reunir forças para matar sete combatentes talibãs. E assim as façanhas de Larez foram transmitidas por um canal de notícias de Dallas, que mais tarde teve que se retratar quando se descobriu que, embora Larez fosse de fato um fuzileiro naval, jamais chegara perto do Afeganistão – a história inteira era mentira.

Os jornalistas com frequência desmascaram alegações falsas desse tipo. Mas, de vez em quando, é o jornalista quem mente. Com olhos marejados e voz embargada, o veterano jornalista Dan Rather descreveu a própria carreira nos fuzileiros navais, embora jamais houvesse ido além do treinamento básico. Aparentemente, ele deve ter acreditado que seu envolvimento foi bem mais importante do que de fato foi.[1]

Antes de compartilhar nossos experimentos sobre essa questão, gostaria de observar que orgulhosamente mantenho dois diplomas pendurados na parede do meu gabinete. Um é de "Bacharel em Ciência do Charme" e outro é de "Ph.D. em Charme", ambos do MIT. Recebi esses diplomas da Escola do Charme, que é uma atividade realizada no MIT durante o frio e triste mês de janeiro. Para preencher os requisitos, tive que assistir a muitas aulas de dança de salão, poesia, nó em gravata e outras dessas habilidades inspiradas. E, na verdade, quanto mais tempo os diplomas permanecem na parede do meu gabinete, mais acredito que sou bem charmoso.

Testamos os efeitos dos certificados dando aos nossos participantes uma chance de trapacear no primeiro teste de matemática (conferindo-lhes acesso ao gabarito). Depois que exageraram seu desempenho, entregamos a alguns deles um certificado enfatizando sua (falsa) realização naquele teste. Chegamos a escrever seus nomes e pontuações no certificado e o imprimimos num belo documento de aspecto oficial. Os outros participantes não receberam certificado. Será que os marcadores de realização aumentariam a confiança dos participantes em seu desempenho exagerado, que na verdade se baseou em parte na consulta ao gabarito? Fariam com que acreditassem que sua pontuação era mesmo um reflexo real de sua habilidade?

Descobrimos que não sou o único influenciado por diplomas pendurados na parede. Os participantes que receberam um certificado previram que responderiam corretamente a mais perguntas no segundo teste. Parece que dispor de um lembrete de um "serviço bem-feito" torna mais fácil acreditar que nossas realizações se devem somente a nós, independentemente do desempenho real.

A romancista do século XIX Jane Austen forneceu um exemplo fantástico de como nossos interesses egoístas, alimentados pelos outros à nossa volta, podem nos levar a acreditar que nosso egoísmo é na verdade um sinal de caridade e generosidade.

Em *Razão e sensibilidade* existe uma cena reveladora em que John, o primeiro e único filho homem e herdeiro legal, examina o que, exatamente, está envolvido em uma promessa que fez ao pai. No leito de morte do pai, John lhe prometeu cuidar de sua madrasta pobre e das três meias-irmãs.

Por iniciativa própria, decide dar às mulheres 3 mil libras, uma mera fração de sua herança, que poderiam suprir suas necessidades. Afinal, ele raciocina alegremente, "poderia conceder tal soma considerável com poucos inconvenientes".

Apesar da satisfação que John obtém dessa ideia e da facilidade com que a doação pode ser feita, sua esperta e egoísta esposa o convence – sem grande dificuldade e com muito raciocínio enganoso – que qualquer dinheiro que dê à família da madrasta deixará a ele, sua mulher e seu filho "empobrecidos num terrível grau". Como uma bruxa malvada de um conto de fadas, ela argumenta que seu pai devia estar fora do juízo perfeito. Afinal, o velho homem estava a minutos da morte quando fez o pedido. Ela então se refere ao egoísmo da madrasta. Como podem a madrasta de John e suas meias-irmãs achar que merecem algum dinheiro? Como pode ele, seu marido, dilapidar a fortuna do pai sustentando sua gananciosa madrasta e as irmãs?

O filho, sob efeito da lavagem cerebral, conclui que "seria absolutamente desnecessário, se não altamente indecoroso, fazer mais pela viúva e pelas três filhas do pai...". Resultado: consciência apaziguada, avareza racionalizada, fortuna intocada.

AUTOENGANO NOS ESPORTES

Todos os atletas sabem que usar esteroides é contra as regras e que, se chegarem a ser descobertos fazendo uso deles, mancharão seu histórico, bem como o próprio esporte. Porém, o desejo de bater novos recordes (estimulado por esteroides) e obter a atenção da mídia e a adoração dos fãs leva muitos atletas a trapacear via doping. O problema está em toda parte e em todas as modalidades.

Tivemos Floyd Landis, que foi despojado de sua vitória no Tour de France por causa do uso de esteroides em 2006. A Universidade de Waterloo, no Canadá, suspendeu o time inteiro de futebol americano por um ano quando oito jogadores tiveram resultado positivo no teste de esteroides anabolizantes. Um treinador de futebol búlgaro foi banido do esporte por quatro anos por dar aos jogadores esteroides antes de uma partida em 2010.

No entanto, seria interessante saber o que os usuários de esteroides pensam ao vencer uma partida ou receber uma medalha. Reconhecem que a conquista é desmerecida ou realmente acreditam que seu desempenho é um puro tributo à sua habilidade?

Existem exemplos também no beisebol, é claro. Mark McGwire teria batido tantos recordes sem recorrer aos esteroides? Será que acreditava que sua realização se devia à própria capacidade? Após admitir o uso de esteroides, McGwire afirmou: "Estou certo de que as pessoas se perguntarão se eu poderia ter feito todos aqueles *home runs* sem nunca tomar esteroides. Tive bons anos em que não tomei nada e tive maus anos em que não tomei nada. Tive bons anos em que tomei esteroides e tive maus anos em que tomei esteroides. Mas, de qualquer forma, eu não deveria ter feito isso e estou bastante arrependido."[2]

Ele pode até estar arrependido, mas, no fim, nem seus fãs nem o próprio McGwire conseguem saber exatamente quão talentoso ele realmente é.

★ ★ ★

Como você pode ver, as pessoas tendem a acreditar nas próprias histórias exageradas. Será possível deter ou ao menos reduzir esse comportamento? Como oferecer dinheiro aos participantes para julgarem seu desempenho com mais precisão não pareceu eliminar o autoengano, decidimos intervir antecipadamente, bem no momento em que eles eram tentados pela oportunidade de trapacear. (Essa abordagem está relacionada ao nosso uso dos Dez Mandamentos no Capítulo 2.) Como os participantes eram claramente capazes de ignorar o efeito do gabarito em suas notas, queríamos saber o que aconteceria se tornássemos o fato de estarem recorrendo ao gabarito mais evidente no momento em que o consultassem. Se consultar o gabarito para melhorar suas notas fosse flagrantemente evidente, seriam eles menos capazes de se convencer de que sabiam a resposta certa desde o início?

Em nossos experimentos iniciais (baseados em papel) não era possível descobrir exatamente quando os olhos de nossos participantes resvalavam para o gabarito e o nível em que estavam cientes da ajuda obtida das respostas impressas. Assim, em nosso experimento seguinte submetemos os participantes a uma versão computadorizada do mesmo teste.

Dessa vez o gabarito no rodapé da tela não era inicialmente visível. Para revelar as respostas, os participantes tinham que mover o cursor até o rodapé, e, quando o cursor era afastado, o gabarito voltava a ficar oculto. Desse modo, os participantes eram forçados a pensar sobre exatamente quando e por quanto tempo consultaram o gabarito, e não poderiam ignorar com tanta facilidade uma ação clara e deliberada assim.

Embora quase todos os participantes consultassem o gabarito ao menos uma vez, constatamos que nessa condição (em contraste com os testes baseados em papel) eles não superestimaram seu desempenho no segundo teste. Apesar do fato de ainda trapacearem, decidir de maneira consciente recorrer ao gabarito – em vez de olhar de rabo de olho para o rodapé da página – eliminou sua tendência ao autoengano. Parece, então, que, quando nos conscientizamos ostensivamente das maneiras como trapaceamos, ficamos menos propensos a levar um crédito desmerecido por nosso desempenho.

Autoengano e autoajuda

Então, em que pé estamos em relação ao autoengano? Devemos mantê-lo? Eliminá-lo? Suspeito que o autoengano se assemelhe aos seus primos, o excesso de confiança e o otimismo, e, como ocorre com esses outros vieses, possua benefícios e desvantagens. Do lado positivo, uma crença injustificadamente alta em nós mesmos é capaz de aumentar nosso bem-estar geral, ajudando a enfrentar o estresse. Pode aumentar nossa persistência enquanto realizamos tarefas difíceis ou tediosas e nos levar a tentar experiências novas e diferentes.

Persistimos no autoengano em parte para manter uma autoimagem positiva. Minimizamos nossos fracassos, realçamos nossos sucessos (mesmo quando não se devem inteiramente a nós) e adoramos jogar a culpa em outras pessoas e circunstâncias externas quando nossas falhas são inegáveis. Como nosso amigo siri, podemos usar o autoengano para aumentar nossa confiança em situações em que talvez não nos sentíssemos ousados. Basear nosso comportamento em nossos melhores aspectos pode nos ajudar a arrumar um namorado ou uma namorada, concluir um grande projeto ou obter um emprego. (Obviamente não estou sugerindo que você exagere no seu currículo, mas um pouco de confiança extra pode muitas vezes funcionar a nosso favor.)

Do lado negativo, na medida em que uma visão otimista demais de nós mesmos forma a base de nossas ações, podemos presumir de maneira equivocada que as coisas vão se resolver da melhor forma e, assim, não tomar ativamente as melhores decisões. O autoengano pode também nos levar a "enfeitar" nossas biografias com, digamos, um diploma de uma universidade de prestígio, o que pode se tornar um grande transtorno quando a verdade acabar vindo à tona. E é claro que existe o custo geral do engodo: quando nós e aqueles à nossa volta somos desonestos, começamos a suspeitar de todos e, sem confiar em ninguém, a vida se torna mais difícil em quase todos os sentidos.

Como em outros aspectos da vida, é preciso obter um equilíbrio entre a felicidade (parcialmente induzida pelo autoengano) e as decisões ideais para o futuro (e uma visão mais realista de nós mesmos). Sim, é empolgante ser otimista, ter fé em um futuro maravilhoso; mas, no caso do autoengano, nossas crenças exageradas podem nos devastar quando damos de cara com a realidade esmagadora.

Algumas vantagens de mentir

Se mentimos em benefício de outra pessoa, consideramos isso inofensivo. Quando dizemos uma dessas mentirinhas "inocentes", estamos expandindo a margem de manobra, mas não por motivos egoístas. Considere, por exemplo, a importância dos elogios insinceros. Todos conhecemos as vantagens das mentirinhas quando o namorado ou a namorada nos pergunta se é o(a) melhor amante que já tivemos. Num instante, vemos todos os problemas que poderíamos causar se respondêssemos com a verdade nua e crua. Assim, dizemos "Mas é claro!" e o relacionamento segue a salvo.

Às vezes as mentiras ditas inofensivas são meras formalidades sociais, mas outras vezes podem operar milagres ao ajudar as pessoas a enfrentar as mais difíceis circunstâncias, como descobri como vítima de queimaduras aos 18 anos.

Após um acidente que quase me matou, fui parar no hospital com queimaduras de terceiro grau em mais de 70% do corpo. Desde o princípio, médicos e enfermeiros viviam me dizendo: "Vai ficar tudo bem." E eu queria acreditar neles. Para minha mente jovem, "Vai ficar tudo bem" significava que as cicatrizes de minhas queimaduras e muitos, muitos transplantes de pele acabariam não deixando marcas, como quando alguém se queima ao preparar pipoca.

Um dia, quase no fim do meu primeiro ano no hospital, a terapeuta ocupacional disse que queria me apresentar a uma vítima de queimaduras que sofrera um acidente semelhante uma década antes e se recuperou. Ela queria comprovar que seria possível sair do hospital e exercer minhas atividades costumeiras – basicamente, que ficaria tudo bem.

No entanto, quando o visitante chegou, fiquei horrorizado. O homem estava cheio de cicatrizes; eram tantas que ele parecia deformado. Conseguia mover as mãos e usá-las de todas as formas criativas, mas estavam longe de ser funcionais. A imagem estava bem distante de como eu imaginava minha recuperação, minha capacidade de ser funcional e meu aspecto depois que deixasse o hospital.

Após aquele encontro, fiquei profundamente deprimido, percebendo que minhas cicatrizes e minha funcionalidade seriam bem piores do que eu havia imaginado até aquele ponto.

Os médicos e enfermeiros contaram outras mentiras bem-intencionadas sobre que tipo de dor esperar. Durante uma cirurgia insuportavelmente longa nas minhas mãos, os médicos inseriram longas agulhas nas pontas de meus dedos, através das articulações, para mantê-los retos e facilitar a recuperação da pele. Na ponta de cada agulha prenderam uma rolha para que eu não me arranhasse sem querer nem machucasse meus olhos. Após alguns meses vivendo com aquele dispositivo absurdo, descobri que seria removido na clínica – sem anestesia. Aquilo me preocupou bastante, porque imaginei que a dor seria terrível. Mas as enfermeiras disseram: "Ah, não se preocupe. É um procedimento simples e não é doloroso." Nas semanas seguintes, eu fiquei bem menos preocupado.

Chegada a hora de remover as agulhas, uma enfermeira segurou meu cotovelo e outra lentamente retirou cada agulha com alicate. A dor foi excruciante e durou vários dias – bem diferente de como haviam descrito.

Mesmo assim, vendo em retrospecto, fiquei contente por terem mentido para mim. Se tivessem contado a verdade sobre o que esperar, eu teria passado as semanas antes da extração antevendo o procedimento com sofrimento, tensão e medo – o que, por sua vez, poderia ter comprometido meu sistema imunológico. Assim, no final passei a acreditar que existem certas circunstâncias em que contar mentirinhas até se justifica.

7

CRIATIVIDADE E DESONESTIDADE

Somos todos contadores de histórias

"Fatos são para as pessoas que não têm imaginação
para criar a própria verdade."

– ANÔNIMO

Certa vez, dois pesquisadores, Richard Nisbett (professor da Universidade de Michigan) e Tim Wilson (professor da Universidade da Virgínia), foram até um centro comercial e dispuseram quatro pares de meias-calças de náilon sobre uma mesa. Depois perguntaram a mulheres que passavam por ali de qual das quatro meias gostaram mais. As mulheres votaram e, em sua maioria, preferiram o par da extrema direita. Por quê?

Algumas disseram que gostaram mais do material. Outras, que gostaram da textura ou da cor. E houve quem achasse que a qualidade era melhor. Essa preferência foi interessante, já que os quatro pares eram idênticos. (Nisbett e Wilson mais tarde repetiram o experimento com camisolas e chegaram ao mesmo resultado.)

Quando a dupla questionou cada participante sobre a lógica por trás de sua escolha, nenhuma citou a localização das meias em cima da mesa. Mesmo quando os pesquisadores revelaram às mulheres que todas as meias eram iguais e que havia uma mera preferência pelo par do lado direito, as mulheres "negaram aquilo, geralmente olhando o entrevistador de forma preocupada, sugerindo que achavam ter entendido mal a pergunta ou estavam lidando com um louco".

Moral da história? Podemos nem sempre saber exatamente por que fazemos certas coisas, escolhemos certas coisas ou sentimos certas coisas. Mas o desconhecimento de nossas verdadeiras motivações não nos impede de criar motivos que parecem perfeitamente lógicos para nossas ações, decisões e sensações.

Você pode agradecer ao lado esquerdo do cérebro (ou culpá-lo) por essa habilidade incrível de inventar histórias. Nas palavras do neurocientista cognitivo Michael Gazzaniga (professor da Universidade da Califórnia em Santa Bárbara), nosso hemisfério esquerdo é "o intérprete", a metade que tece uma narrativa com base em nossas experiências.

Gazzaniga chegou a essa conclusão após muitos anos de pesquisas com pacientes com cérebro dividido, um grupo raro cujo corpo caloso – o feixe de nervos maior conectando os dois hemisférios do cérebro – foi cortado (geralmente como meio de reduzir ataques epilépticos). O interessante é que essa anormalidade do cérebro faz com que esses indivíduos possam ser apresentados a estímulos a uma metade do cérebro sem que a outra metade tome qualquer conhecimento deles.

Trabalhando com uma paciente com um corpo caloso cortado, Gazzaniga queria descobrir o que acontece quando se pede ao lado direito do cérebro que faça algo e depois pede ao lado esquerdo (que não tem nenhuma informação sobre o que está acontecendo do lado direito) que forneça um motivo para tal ação. Usando um dispositivo que mostrava instruções escritas ao hemisfério direito do paciente, Gazzaniga instruiu o lado direito do cérebro da paciente a fazê-la rir exibindo a palavra "Ria". Assim que a mulher riu, ele perguntou por que ela havia rido. A mulher não tinha a menor ideia do motivo, mas, em vez de responder "Não sei", inventou uma história. "Vocês vêm aqui e testam a gente todo mês. Que forma de ganhar a vida!", disse ela. Aparentemente, ela havia concluído que neurocientistas cognitivos são bem engraçados.

Esse episódio ilustra um caso extremo de uma tendência que todo mundo tem. Queremos explicações para nossos comportamentos e o funcionamento do mundo à nossa volta, mesmo quando nossas explicações frágeis têm pouca relação com a realidade. Somos criaturas contadoras de histórias por natureza e nos contamos uma história após outra até chegarmos a uma explicação que nos agrade e que soe suficientemente razoável para acreditarmos nela. E, quando a história nos retrata sob uma luz mais brilhante e positiva, melhor ainda.

Enganando a mim mesmo

Em um discurso de paraninfo no Instituto de Tecnologia da Califórnia em 1974, o físico Richard Feynman contou aos formandos: "O primeiro princípio é que você não deve enganar a si mesmo – e você é a pessoa mais fácil de enganar." Como vimos até agora, nós, seres humanos, somos dilacerados por um conflito fundamental: nossa propensão profundamente arraigada a mentir para nós mesmos e para os outros *versus* o desejo de nos vermos como pessoas boas e honestas. Assim, justificamos nossa desonestidade contando para nós mesmos histórias sobre por que nossas ações são aceitáveis e às vezes até admiráveis. De fato, quando o assunto é embromação, somos bem habilidosos.

Antes de examinar em mais detalhes o que nos torna tão exímios em tecer narrativas autoglorificadoras, contarei uma historinha de como certa vez enganei (com o maior prazer) a mim mesmo. Quando tinha 30 anos, resolvi que precisava trocar minha moto por um carro. Fazendo umas pesquisas na internet, achei um site que oferecia uma ferramenta para me ajudar a escolher o modelo ideal. Eu só precisava responder a um questionário, cujas perguntas variavam de preferências de preço e segurança a quais tipos de farol e freio eu queria.

Levei uns 20 minutos para responder a todas as perguntas. Cada vez que eu completava uma página de respostas, podia ver a barra de progresso indicando que eu estava bem mais perto de descobrir meu carro dos sonhos personalizado. Terminei a última página e, curioso, cliquei no botão "Submeter". Em poucos segundos obtive minha resposta. Qual era o carro perfeito para mim? De acordo com aquele site apuradíssimo, o melhor carro para mim era um Ford Taurus.

Confesso que eu não entendia muito de carros. Na verdade, sei pouquíssimo sobre o assunto. Mas com certeza sabia que não queria um Ford Taurus.*

---

* Não tenho nada contra o Ford Taurus, que certamente é um ótimo automóvel. Só não era um carro empolgante como aquele que me imaginava dirigindo.

Então fiz o que qualquer pessoa criativa faria em meu lugar: voltei ao programa e "corrigi" minhas respostas anteriores. Eu ia verificando como diferentes respostas resultavam em diferentes recomendações de carro. Fui fazendo isso até que a ferramenta fez a gentileza de me recomendar um pequeno conversível – sem dúvida o carro certo para mim. Segui aquele conselho sábio e foi assim que me tornei o proprietário orgulhoso de um conversível (que, por sinal, me atendeu perfeitamente bem por muitos anos).

Essa experiência me ensinou que às vezes (ou talvez com frequência) não fazemos escolhas baseadas em nossas preferências explícitas. Em vez disso, temos uma intuição sobre o que queremos e passamos por um processo de ginástica mental, aplicando todo tipo de justificativa para manipular os critérios. Desse modo, podemos obter o que realmente queremos ao mesmo tempo que mantemos a aparência – para nós e para os outros – de estar agindo de acordo com nossas preferências racionais e fundamentadas.

A lógica da moeda

Se reconhecermos que com frequência tomamos decisões dessa forma, talvez possamos tornar o processo de racionalização mais eficiente e menos demorado. Exemplo: imagine que você está querendo comprar um celular novo e não consegue se decidir entre dois modelos. O aparelho A possui uma câmera com zoom óptico muito bom e uma bateria pesada, ao passo que o aparelho B é mais leve e tem um formato mais elegante. Você está em dúvida sobre qual deles comprar. Acha que a câmera do aparelho A tem mais qualidade, mas o aparelho B o deixará mais satisfeito porque gosta mais da aparência dele. O que você deveria fazer?

Eis o meu conselho: pegue uma moedinha no bolso e diga a si mesmo: "Aparelho A é cara, aparelho B é coroa." Então lance a moeda. Se der cara e o aparelho A é o que você queria, que bom, vá comprá-lo. Mas, se não gostar do resultado, recomece o processo, dizendo para si: "A próxima jogada é pra valer." Faça isso até a moeda dar coroa. Você não só obterá o aparelho B, que era o que realmente queria desde o início, como também poderá justificar sua decisão dizendo que apenas seguiu o "conselho" da moeda. (Você poderia também substituir a moeda por seus amigos e consultá-los até um deles dar o conselho que você quer.)

Vai ver que era essa a função real da ferramenta de recomendação de carros que consultei para obter meu conversível. Talvez ela tenha sido projetada não apenas para me ajudar a tomar uma decisão melhor, mas para criar um processo que me permitisse justificar a escolha que eu realmente queria fazer. Nesse caso, acho que seria útil desenvolver mais desses aplicativos convenientes para muitas outras áreas da vida.

O cérebro do mentiroso

A maioria de nós acha que algumas pessoas são especialmente boas (ou ruins) em enganar os outros. Se for verdade, quais características as distinguem? Uma equipe de pesquisadores liderada por Yaling Yang (pós-doutoranda da Universidade da Califórnia em Los Angeles) tentou descobrir a resposta para essa pergunta estudando mentirosos patológicos – ou seja, pessoas que mentem de maneira compulsiva e indiscriminada.

Para achar os participantes do estudo, Yang e seus colegas foram para uma agência de empregos temporários de Los Angeles. Eles desconfiavam de que ao menos alguns daqueles indivíduos sem ocupação permanente teriam tido dificuldade em se manter num emprego por serem mentirosos patológicos. (Obviamente isso não se aplica a todos os trabalhadores temporários.)

Os pesquisadores então submeteram 108 candidatos a emprego a uma bateria de testes psicológicos e realizaram várias entrevistas pessoais com eles, seus colegas de trabalho e familiares a fim de identificar grandes discrepâncias que pudessem revelar os mentirosos patológicos. Nesse grupo, acharam 12 pessoas com incoerências generalizadas nas histórias que contavam sobre seu trabalho, sua escolaridade, crimes cometidos e histórico familiar. Também eram os mesmos indivíduos que costumavam se fingir de doentes para obter auxílio-doença.

Em seguida a equipe submeteu os 12 mentirosos patológicos – além de 21 indivíduos que não tinham essa condição e estavam no mesmo grupo de candidatos a emprego (o grupo de controle) – a uma ressonância magnética para explorar a estrutura do cérebro de cada pessoa. Os pesquisadores se concentraram no córtex pré-frontal, uma parte do cérebro situada bem atrás da testa e considerada encarregada do pensamento de ordem superior, como planejar nossa agenda diária e decidir como lidar com as tentações à nossa volta. Também é a parte do cérebro de que dependemos para julgamentos morais e tomada de decisões. Em suma, é um tipo de torre de controle para o pensamento, o raciocínio e a moralidade.

De forma geral, existem dois tipos de matéria que preenchem nosso cérebro: a cinzenta e a branca. A massa cinzenta é apenas outro nome para os conjuntos de neurônios que constituem a maior parte de nosso cérebro, a substância que aciona nosso pensamento. A massa branca seria a fiação que conecta aquelas células cerebrais. Todos temos massa cinzenta e branca, mas Yang e seus colaboradores estavam particularmente interessados nas quantidades relativas dos dois tipos no córtex pré-frontal dos participantes.

Eles descobriram que os mentirosos patológicos tinham 14% menos massa cinzenta que o grupo de controle, um achado comum para muitos indivíduos com distúrbios psicológicos. O que isso poderia significar? Uma possibilidade é que, por terem menos células cerebrais (a massa cinzenta) abastecendo seu córtex pré-frontal (uma área crucial para distinguir entre certo e errado), os mentirosos patológicos acham mais difícil levar a moralidade em consideração, fazendo com que mentir fique mais fácil.

Mas isso não é tudo. Você deve estar se perguntando sobre o espaço extra que os mentirosos patológicos devem ter no crânio, já que possuem bem menos massa cinzenta. Yang e seus colegas também descobriram que mentirosos patológicos tinham algo entre 22% e 26% mais de massa branca no córtex pré-frontal. Com mais massa branca (lembre-se de que ela conecta a massa cinzenta), os mentirosos patológicos provavelmente conseguem fazer mais conexões entre diferentes lembranças e ideias, e essa conectividade e esse acesso maiores ao mundo das associações armazenadas na massa cinzenta poderiam ser os ingredientes secretos que os tornam mentirosos natos.

Se extrapolássemos essas descobertas para a população em geral, poderíamos dizer que uma conectividade cerebral maior facilitaria para qualquer um de nós mentir e, ao mesmo tempo, nos considerarmos criaturas honestas. Afinal, cérebros mais conectados possuem mais avenidas por explorar quando se trata de interpretar e explicar acontecimentos dúbios – e talvez esse seja o elemento crucial na racionalização de nossos atos desonestos.

Mais criatividade equivale a mais dinheiro

Essas descobertas me fizeram cogitar se o volume maior de massa branca poderia estar associado tanto a mais mentiras quanto a mais criatividade. Afinal, pessoas com mais conexões entre as diferentes partes do cérebro e mais associações são presumivelmente mais criativas. Para testar esse possível vínculo entre criatividade e desonestidade, Francesca Gino e eu realizamos uma série de estudos. Fiéis à natureza da própria criatividade, abordamos a questão a partir de uma variedade de ângulos, começando com uma abordagem relativamente simples.

Quando nossos participantes apareceram no laboratório, informamos que eles responderiam a algumas questões e depois fariam uma tarefa no computador. O questionário incluía muitas perguntas irrelevantes sobre suas experiências e hábitos em geral (essas perguntas visavam encobrir a intenção real do estudo) e três tipos de pergunta que eram o foco do estudo.

No primeiro conjunto de perguntas, pedimos aos participantes que indicassem até que ponto se descreveriam usando algum adjetivo "criativo" (perspicaz, inventivo, original, engenhoso, incomum e assim por diante). No segundo, pedimos que contassem com que frequência se envolviam em 77 atividades diferentes, algumas requerendo mais criatividade, outras requerendo menos (boliche, esqui, paraquedismo, pintura, escrita, etc.). No terceiro e último conjunto de perguntas, eles deveriam estimar em que grau se identificavam com afirmações tais como "Tenho muitas ideias criativas", "Prefiro tarefas que me permitam pensar criativamente", "Gosto de fazer coisas de forma original" e outras semelhantes.

Depois que os participantes completaram as avaliações de personalidade, solicitamos que realizassem o teste dos pontos, que era supostamente dissociado das perguntas. (Caso você não se lembre dessa tarefa, ver páginas 103 do Capítulo 5.)

O que você acha que aconteceu? Será que os participantes que escolheram um grande número de adjetivos criativos, envolviam-se em atividades criativas com mais frequência e se viam como mais criativos trapaceariam mais, menos ou tanto quanto os participantes não tão criativos?

Descobrimos que os participantes que clicaram mais no botão "Mais à direita" (aquele com pagamento maior) tenderam a ser as pessoas com pontuações maiores nos três indicadores de criatividade. Além disso, a diferença entre indivíduos mais e menos criativos foi mais pronunciada nos casos em que a diferença no número de pontos nos lados direito e esquerdo era relativamente pequena.

Esse resultado indicou que a diferença entre indivíduos criativos e menos criativos vem à tona principalmente quando existe ambiguidade na situação em questão e, com isso, mais margem para justificativas. Quando havia uma diferença óbvia entre o número de pontos nos dois lados da diagonal, os participantes simplesmente tinham que decidir se mentiriam ou não. Mas, quando os testes eram mais ambíguos e era mais difícil distinguir se havia mais pontos à direita ou à esquerda da diagonal, a criatividade entrava em ação – junto com mais trapaça. Quanto mais criativos os indivíduos, melhor conseguiam explicar para eles mesmos por que havia mais pontos à direita da diagonal (o lado com a maior recompensa).

Em termos simples, o vínculo entre criatividade e desonestidade parece estar relacionado à capacidade de nos contarmos histórias sobre como estamos agindo corretamente, ainda que não seja o caso. Quanto mais criativos, maior nossa capacidade de inventar boas histórias que nos ajudam a justificar nossos interesses egoístas.

A inteligência importa?

Embora se tratasse de um resultado intrigante, ainda não ficamos muito empolgados. O primeiro estudo mostrou que criatividade e desonestidade estão correlacionadas, o que não significa necessariamente que a criatividade esteja relacionada de maneira direta à desonestidade. Por exemplo, e se um terceiro fator, como inteligência, estivesse vinculado tanto à criatividade quanto à desonestidade?

O vínculo entre inteligência, criatividade e desonestidade parece especialmente plausível quando levamos em conta quão inteligentes pessoas como Bernard Madoff, que aplicou um esquema de pirâmide financeira, ou o famoso falsificador de cheques Frank Abagnale (autor de *Prenda-me se for capaz*) devem ter sido para enganar tanta gente. Assim, nosso próximo passo foi realizar um experimento para ver qual dos dois, criatividade ou inteligência, era um indicador melhor de desonestidade.

De novo, imagine-se como um dos participantes. Dessa vez o experimento começa antes mesmo de você pôr os pés no laboratório. Uma semana antes, você se senta diante de seu computador e responde a uma pesquisa on-line, que inclui perguntas para avaliar sua criatividade e também sua inteligência. Medimos sua criatividade usando os mesmos três indicadores do estudo anterior e medimos sua inteligência de duas maneiras. Primeiro pedimos que você responda a um conjunto de três perguntas coletadas por Shane Frederick (professor da Universidade Yale) que visam testar se você usa mais a lógica ou a intuição. Além da resposta certa, cada pergunta possui uma resposta intuitiva que na verdade é incorreta.

Exemplo: "Um taco e uma bola de beisebol custam 1,10 dólar no total. O taco custa 1 dólar a mais que a bola. Quanto custa a bola?"

Rápido! Qual é a resposta?

Dez centavos?

Bom palpite, mas não. Essa é a resposta sedutora, mas não a correta.

Embora sua intuição o incite a responder 10 centavos, se você usa mais a lógica que a intuição, conferirá sua resposta para ter certeza: "Se a bola custasse 0,10, o taco custaria 1,10 e a soma seria 1,20, não 1,10 [0,10 + (1,00 + 0,10) = 1,20]." Ao perceber que seu instinto inicial está errado, você tenta se lembrar da álgebra do ensino médio e obtém a solução correta: [0,05 + (1 + 0,05) = 1,10], ou seja, 5 centavos.

Em seguida medimos sua inteligência mediante um teste verbal. Aqui você é apresentado a uma série de 10 palavras (como "esmaecer" e "mitigar") e, para cada palavra, precisa escolher qual dentre seis opções tem o significado mais próximo.

Uma semana depois você vem ao laboratório e se senta numa cadeira diante de um computador. Uma vez acomodado, as instruções começam: "Hoje você participará de três tarefas diferentes, que testarão suas habilidades de resolução de problemas, suas competências perceptivas e seus conhecimentos gerais. Para maior comodidade, foram todas combinadas em uma única sessão."

Primeiro vem a tarefa de resolução de problemas, que é nada menos que nosso confiável teste da matriz. Esgotados os cinco minutos do teste, você dobra sua folha de exercícios e a coloca na lixeira de recicláveis. Que pontuação você alega ter? Informa sua pontuação real? Ou a enfeita um pouco?

Figura 3: Teste de Reflexão Cognitiva

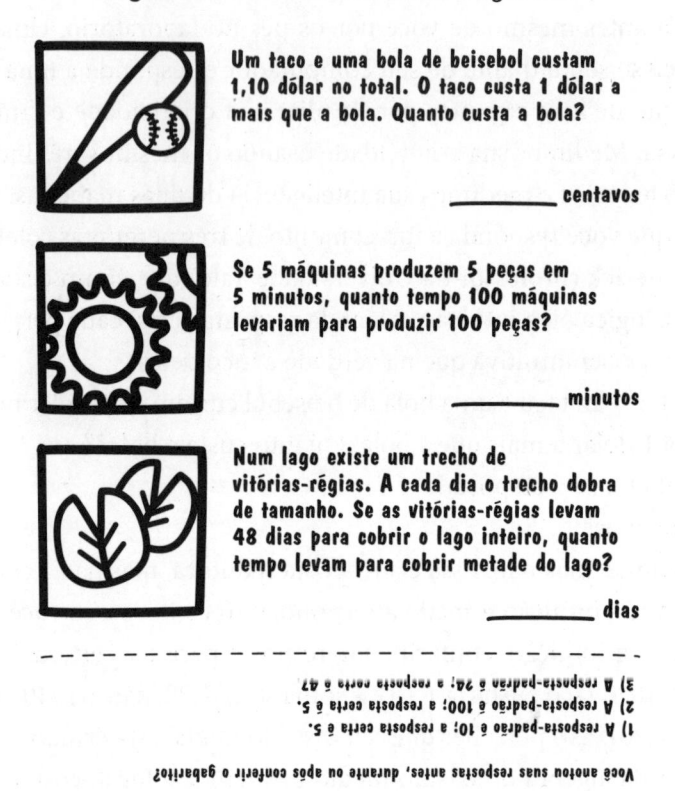

Um taco e uma bola de beisebol custam 1,10 dólar no total. O taco custa 1 dólar a mais que a bola. Quanto custa a bola?

_____ centavos

Se 5 máquinas produzem 5 peças em 5 minutos, quanto tempo 100 máquinas levariam para produzir 100 peças?

_____ minutos

Num lago existe um trecho de vitórias-régias. A cada dia o trecho dobra de tamanho. Se as vitórias-régias levam 48 dias para cobrir o lago inteiro, quanto tempo levam para cobrir metade do lago?

_____ dias

Você anotou suas respostas antes, durante ou após conferir o gabarito?

1) A resposta-padrão é 10; a resposta certa é 5.
2) A resposta-padrão é 100; a resposta certa é 5.
3) A resposta-padrão é 24; a resposta certa é 47.

Sua segunda tarefa, de competências perceptivas, é o teste dos pontos. De novo, você pode trapacear à vontade. O incentivo está ali – você pode ganhar 10 dólares se trapacear em cada uma das tentativas.

Finalmente, sua terceira e última tarefa é um teste de múltipla escolha de conhecimentos gerais composto de 50 perguntas de dificuldades e temas variáveis. As questões incluem uma série de "trivialidades", tipo "Que distância um canguru consegue saltar?" (8 a 12 metros) e "Qual é a capital da Itália?" (Roma). Para cada resposta certa você recebe 10 centavos, com um pagamento máximo de 5 dólares. Nas instruções desse último teste pedimos que você circule suas respostas na folha de perguntas antes de transferi-las para uma folha de respostas.

Quando você chega ao final do teste, baixa o lápis. De repente o pesquisador exclama: "Caramba! Fiz besteira. Sem querer xeroquei folhas de respostas já marcadas com as respostas certas. Sinto muito. Você se importaria de usar uma dessas folhas de respostas já marcadas? Vou tentar apagar todas as marcações para que não apareçam muito claramente. Tudo bem?" É claro que você concorda.

Em seguida o pesquisador pede a você que copie suas respostas do teste para a folha de respostas previamente marcada, rasgue as folhas de perguntas com suas respostas originais circuladas e somente então submeta a folha previamente marcada, agora com suas respostas, para receber o pagamento. Obviamente, ao transferir suas respostas você percebe que pode trapacear: em vez de transferir suas respostas para a folha, você pode preencher as respostas previamente marcadas e ganhar mais dinheiro. ("Eu sabia que a capital da Suíça é Berna. Marquei Zurique por pura distração.")

Resumindo: você participou de três tarefas nas quais poderia ganhar até 20 dólares. Mas quanto realmente embolsa depende de sua inteligência e de sua habilidade em testes, bem como de sua bússola moral. Você trapacearia? Em caso positivo, acha que sua desonestidade tem algo a ver com seu grau de inteligência? Tem algo a ver com seu grau de criatividade?

Eis o que descobrimos: como no primeiro experimento, os indivíduos que eram mais criativos também tiveram maiores níveis de desonestidade. A inteligência, porém, não esteve correlacionada em nenhum grau com a desonestidade. Isso significa que as pontuações de criatividade daqueles que mais trapacearam em cada uma das três tarefas (matrizes, pontos e conhecimentos gerais) foram em média maiores em comparação com as dos não trapaceiros, mas suas pontuações de inteligência não foram muito diferentes.

Também estudamos as pontuações dos trapaceiros extremos, os participantes que trapacearam quase ao máximo. Em cada medição nossa da criatividade, eles tiveram pontuações maiores do que aqueles que trapacearam menos. De novo, suas pontuações de inteligência não foram diferentes.

Aumentando a margem de manobra: em defesa da vingança

A criatividade é claramente um meio importante pelo qual tornamos nossa trapaça possível, mas não é o único. No meu livro *Positivamente irracional*, descrevi um experimento visando medir o que ocorre quando as pessoas ficam aborrecidas com um mau serviço.

Ayelet Gneezy (professora da Universidade da Califórnia em San Diego) e eu contratamos um jovem ator chamado Daniel para realizar certos experimentos para nós em cafeterias locais. Daniel chamava os fregueses das cafeterias para participar de uma tarefa de cinco minutos em troca de 5 dólares. Quando concordavam, ele lhes entregava 10 folhas de papel com letras aleatórias impressas e pedia que achassem o máximo possível de letras idênticas adjacentes e as circulassem com um lápis. Depois que cada um terminava, ele voltava à sua mesa, recolhia suas folhas, entregava-lhe uma pequena pilha de notas e dizia: "Aqui estão seus 5 dólares. Por favor, conte o dinheiro, assine o recibo e deixe-o em cima da mesa, que virei pegar mais tarde." Então se afastava para atender outro participante. O importante era que ele dava 9 dólares em vez de 5, e a questão era quantos participantes devolveriam o dinheiro extra.

Aquela foi a condição sem aborrecimento. Outro grupo de clientes – aqueles na condição com aborrecimento – experimentava um Daniel ligeiramente diferente. No meio da explicação da tarefa, ele fingia que seu celular estava vibrando. Metia a mão no bolso, pegava o celular e dizia: "Oi, Mike. E aí?" Após uma pausa curta, anunciava entusiasmado: "Perfeito, pizza hoje às oito e meia. Na minha casa ou na sua?" Depois encerrava a ligação com "Até mais". Toda a falsa conversa levava uns 12 segundos.

Depois que Daniel enfiava o celular de volta no bolso, não fazia nenhuma referência à interrupção e simplesmente continuava descrevendo a tarefa. Daquele ponto em diante, tudo era igual à condição sem aborrecimento.

Queríamos ver se os clientes que haviam sido tão rudemente ignorados ficariam com o dinheiro extra como ato de vingança. E de fato ficaram. Na condição sem aborrecimento, 45% das pessoas devolveram o dinheiro extra, mas somente 14% daquelas que passaram pelo aborrecimento o fizeram. Embora achássemos bem triste que mais da metade dos clientes na condição sem aborrecimento trapaceassem, foi bem perturbador constatar que uma interrupção de 12 segundos instigou os indivíduos na condição com aborrecimento a trapacear bem, bem mais.

Em termos de desonestidade, acredito que esses resultados indiquem que, depois de algo ou alguém nos irritar, fica mais fácil justificarmos nossa conduta imoral. Nossa desonestidade torna-se a desforra, um ato compensador contra o que nos aborreceu originalmente, seja lá o que for. Dizemos a nós mesmos que não estamos fazendo nada de errado, apenas acertando as contas. Podemos até levar essa racionalização um passo adiante e dizer a nós mesmos que estamos somente restaurando o carma e o equilíbrio do mundo. Parabéns para nós: estamos lutando por justiça!

Uma história italiana de vingança criativa

Quando eu tinha 17 anos e meu primo Yoav, 18, passamos um verão fazendo mochilão pela Europa e tivemos uma temporada maravilhosa. Conhecemos muita gente, vimos cidades e pontos turísticos lindos, visitamos museus – uma excursão perfeita para dois adolescentes inquietos.

O itinerário de nossa viagem começou em Roma, subindo pela Itália e passando pela França, até chegar à Inglaterra. Quando compramos nossos passes de trem para estudantes, o sujeito simpático no guichê da Eurail em Roma nos deu uma cópia de um mapa do sistema ferroviário europeu, cuidadosamente marcando o roteiro que iríamos percorrer com uma esferográfica preta. Disse que poderíamos usar nossos passes quando quiséssemos dentro da janela de dois meses, mas só poderíamos viajar dentro da rota específica que havia traçado. Ele grampeou o mapa frágil num recibo impresso e nos entregou. De início, achávamos que nenhum fiscal de trem respeitaria aquele combo de mapa pouco sofisticado e passagem, mas o vendedor assegurou que era tudo de que precisávamos, e ele estava certo.

Após curtirmos os passeios por Roma, Florença, Veneza e umas poucas cidades italianas menores, passamos algumas noites às margens de um lago perto de Verona. Na nossa última noite no lago, acordamos e constatamos que alguém revirara nossas mochilas e espalhara todo o conteúdo. Após um inventário minucioso de nossos pertences, vimos que todas as nossas roupas e até minha câmera ainda estavam ali. Os únicos objetos faltando eram os tênis sobressalentes de Yoav. Consideraríamos aquilo uma perda menor, não fosse o fato de que a mãe dele (minha tia Nava), em sua sabedoria infinita, quis assegurar que tivéssemos algum dinheiro de emergência caso alguém roubasse o nosso. Assim, ela enfiou umas poucas centenas de dólares nos tênis de Yoav. O absurdo da situação foi de doer.

Decidimos rodar pela cidade para ver se descobríamos alguém calçando os tênis do meu primo e fomos à polícia também. Dado o fato de que os policiais locais não entendiam bem o inglês, foi meio difícil transmitir a natureza do crime – que um par de tênis havia sido furtado e que era importante por conter dinheiro escondido dentro. Não surpreende que nunca tenhamos recuperado os tênis de Yoav, o que nos deixou um pouco amargurados. Na nossa cabeça, foi um imprevisto injusto e a Europa estava em dívida conosco.

Cerca de uma semana após o incidente do furto dos tênis, decidimos que, além dos outros locais do roteiro, queríamos também visitar a Suíça e a Holanda. Poderíamos ter comprado novas passagens de trem para o desvio, mas, evocando os tênis furtados e a falta de ajuda da polícia italiana, decidimos, em vez disso, expandir nossas opções com um pouco de criatividade. Usando uma esferográfica preta igual à do vendedor de passagens, traçamos outra rota em nosso mapa xerocado. Essa passava pela Suíça a caminho da França e ia de lá até a Inglaterra. Agora o mapa mostrava duas rotas possíveis para nossa viagem: a rota original e nossa rota modificada. Quando mostramos os mapas aos próximos fiscais, eles não comentaram nada sobre nossa obra de arte, e assim continuamos traçando rotas extras nos nossos mapas por algumas semanas.

Nossa fraude funcionou até estarmos a caminho da Basileia. O fiscal suíço examinou nossos passes, fez cara feia e um gesto negativo com a cabeça, e os devolveu para nós.

– Vocês vão ter que comprar uma passagem para esta parte da viagem – informou.

– Ah, veja bem, senhor – dissemos educadamente –, a Basileia faz parte de nossa rota.

Apontamos para a rota modificada no nosso mapa, mas o fiscal não se deixou enganar.

– Sinto muito, mas vão ter que pagar por suas passagens até a Basileia ou terei que convidá-los a descer do trem.

– Mas, senhor – argumentamos –, todos os outros fiscais aceitaram nossas passagens sem problema.

O fiscal deu de ombros e fez um novo sinal negativo com a cabeça.

– Por favor – Yoav implorou. – Se nos deixar ir até a Basileia, daremos ao senhor esta fita da banda The Doors. É uma ótima banda de rock americana.

O fiscal não achou graça nem pareceu particularmente interessado.

– Ok – disse ele. – Podem ir até a Basileia.

Não soubemos dizer se ele concordou conosco, apreciou nosso gesto ou simplesmente desistiu. Após aquele incidente, paramos de acrescentar linhas ao nosso mapa e logo retornamos ao roteiro original planejado.

Ao recordar nossa conduta desonesta, sou tentado a atribuí-la à estupidez da juventude. Mas sei que essa não é a explicação completa. Suspeito que vários aspectos da situação permitiram que nos comportássemos daquela forma e justificássemos nossas ações como perfeitamente aceitáveis.

Primeiro, tenho certeza de que estar num país estrangeiro por conta própria pela primeira vez contribuiu para nos sentirmos à vontade com as regras novas que estávamos criando.* Se tivéssemos parado para refletir sobre nossas ações, teríamos certamente reconhecido sua gravidade, mas, de algum modo, sem pensar muito, imaginamos que nossos acréscimos criativos ao roteiro faziam parte do procedimento regular da Eurail. Segundo, perder umas poucas centenas de dólares e os tênis de Yoav fez com que sentíssemos que a vingança era justificável e que a Europa deveria nos reembolsar.

Terceiro, por estarmos numa aventura, talvez nos sentíssemos moralmente mais aventureiros também. Quarto, justificamos nossas ações convencendo-nos de que não estávamos prejudicando nada nem ninguém. Afinal, estávamos apenas traçando umas linhas extras num pedaço de papel. O trem faria sua rota sem nós e, além disso, os trens nunca estavam lotados, logo, não estávamos tirando o lugar de ninguém. Também me ocorreu que justificamos nossas ações com muita facilidade porque, quando adquirimos as passagens, poderíamos ter escolhido outra rota pelo

---

* Desconfio da existência de uma conexão entre desonestidade e viagens em geral. Talvez porque, quando viajamos, as regras sejam menos claras, ou talvez tenha a ver com o fato de estarmos distantes do ambiente habitual.

mesmo preço. E, como as diferentes rotas eram iguais para o guichê da Eurail onde compramos as passagens, por que importaria em que momento decidíssemos escolher uma rota diferente?

Uma última justificativa teve a ver com a natureza física das próprias passagens. Como o vendedor da Eurail havia nos dado um papel xerocado tão frágil com um desenho feito à mão de nossa rota planejada, era fisicamente fácil introduzir nossas mudanças – e, como estávamos marcando a rota da mesma forma que o vendedor dos bilhetes (traçando linhas num pedaço de papel), aquela facilidade física logo se transformou em facilidade moral também.

Quando penso em todos esses motivos juntos, percebo quão extensa e expansiva é nossa capacidade de justificar e como a racionalização pode predominar em quase todas as nossas atividades diárias. Temos uma capacidade incrível de nos distanciarmos, de todas as maneiras possíveis, da constatação de que estamos infringindo as regras, em especial quando nossas ações estão a alguns passos de distância de causar dano direto a outra pessoa.

O departamento do trapaceiro

Pablo Picasso certa vez disse: "Bons artistas copiam, ótimos artistas roubam." No decorrer da história, não faltou quem pegasse carona na criatividade dos outros. William Shakespeare achou as ideias para suas tramas em fontes gregas, romanas, italianas e histórias clássicas e então escreveu peças brilhantes baseadas nelas. Até Steve Jobs se vangloriou de que, assim como Picasso, a Apple não sentia vergonha de surrupiar ótimas ideias.

Nossos experimentos até então mostravam que a criatividade é uma força norteadora quando se trata da trapaça. Mas não sabíamos se podíamos pegar algumas pessoas, aumentar sua criatividade e, com isso, ampliar seu nível de desonestidade. Foi aí que entrou em cena o próximo passo de nossa investigação empírica.

Na versão seguinte de nossos experimentos, Francesca e eu examinamos se poderíamos aumentar o grau de trapaça simplesmente envolvendo nossos participantes em um estado mental mais criativo (usando o que os cientistas sociais denominam pré-ativação).

Imagine que você é um dos participantes. Você aparece e nós o apresentamos ao teste dos pontos. Então começa uma rodada de treino, pela qual não recebe pagamento. Antes de passar à fase real – aquela que envolve o pagamento variável –, pedimos a você que realize uma tarefa de criação de frases. (É aí que operamos nossa magia de indução da criatividade usando uma tarefa de palavras embaralhadas, uma tática comum para mudar momentaneamente a mentalidade dos participantes.) Nessa tarefa você recebe 20 conjuntos de cinco termos apresentados em ordem aleatória (como "céu", "é", "o", "porque", "azul") e deve formar uma frase de quatro palavras gramaticalmente correta a partir de cada conjunto ("O céu é azul").

O que você não sabe é que existem duas versões diferentes dessa tarefa e você só verá uma delas. Uma versão é o conjunto criativo, no qual 12 das 20 sentenças incluem palavras relacionadas à criatividade ("criativo", "original", "inédito", "novo", "engenhoso", "imaginação", "ideias" e assim por diante). A outra versão é o conjunto de controle, em que nenhuma das 20 sentenças inclui qualquer palavra relacionada à criatividade. Nosso objetivo era pré-ativar em alguns participantes uma mentalidade mais inovadora usando as palavras associadas à criatividade. Todos os demais ficariam presos em sua mentalidade usual.

Depois de completar a tarefa das frases (em uma das duas versões), você volta ao teste dos pontos. Mas dessa vez o realiza por dinheiro. Como antes, você ganha meio centavo por escolher o lado esquerdo e 5 centavos por escolher o direito.

Que tipo de situação os dados revelaram? Será que fomentar uma mentalidade mais criativa afetou a moralidade da pessoa? Embora os níveis de desempenho dos dois grupos não diferissem nas rodadas de treino do teste dos pontos (quando não existia pagamento), houve uma diferença após a tarefa das sentenças. Como esperávamos, os participantes que haviam sido pré-ativados com as palavras criativas escolheram "Mais à direita" (a resposta com maior pagamento) mais vezes que aqueles na condição de controle.

Até então, parecia que uma mentalidade criativa poderia fazer as pessoas trapacearem um pouco mais. No estágio final de nossa investigação, queríamos ver como a criatividade e a trapaça se correlacionam no mundo real. Abordamos uma grande agência publicitária e conseguimos que a maioria dos funcionários respondesse a uma série de questões sobre dilemas morais.

Fizemos perguntas como "Qual é a probabilidade de você exagerar os valores em seu relatório de despesas de negócios?", "Qual é a probabilidade de você informar seu supervisor de que um projeto está avançando quando na verdade está parado?" e "Qual é a probabilidade de levar materiais de escritório do trabalho para casa?". Também indagamos em que departamento trabalhavam dentro da empresa (contabilidade, redação publicitária, gestão de contas, design, etc.). Por fim, conseguimos que o CEO da agência nos contasse qual era o nível de criatividade requerido para atuar em cada departamento.

Agora conhecíamos a tendência moral básica de cada funcionário, seus departamentos e o nível de criatividade esperado em cada área. Com os dados nas mãos, computamos a flexibilidade moral dos funcionários em cada departamento e como essa flexibilidade se relacionava com a criatividade exigida por seus cargos. De acordo com os resultados, o nível de flexibilidade moral mostrou-se altamente relacionado ao nível de criatividade requerido em seus departamentos e cargos. Designers e redatores ficaram no topo da escala de flexibilidade moral, e os contadores, na base. Parece que, quando a criatividade faz parte das atribuições do cargo, somos mais propensos a fazer vista grossa quando se trata de comportamento desonesto.

O lado sombrio da criatividade

Estamos acostumados a ouvir a criatividade ser enaltecida como uma virtude pessoal e um importante motor do progresso da sociedade. É um atributo que queremos ter – não apenas como indivíduos, mas também como empresas e comunidades. Homenageamos os inovadores, elogiamos e invejamos aqueles com mentes originais e criticamos quem é incapaz de pensar fora da caixa.

Existem bons motivos para tudo isso. A criatividade aumenta nossa capacidade de resolver problemas, abrindo portas para novas abordagens e soluções. É o que permitiu à humanidade reformular nosso mundo de formas (às vezes) benéficas, com invenções que vão dos sistemas de esgoto e água tratada aos painéis solares, e dos arranha-céus à nanotecnologia. Embora ainda tenhamos um longo caminho a percorrer, podemos agradecer à criatividade por grande parte de nosso progresso. Afinal, o mundo seria um lugar bem mais triste sem os desbravadores criativos, como Einstein, Shakespeare e Da Vinci.

Mas essa é apenas parte da história. Assim como nos permite conceber soluções inéditas para problemas difíceis, a criatividade também pode nos capacitar a desenvolver formas originais de contornar as regras, ao mesmo tempo que nos auxilia a reinterpretar as informações em causa própria. Ativar nossa mente criativa pode nos ajudar a forjar uma narrativa que nos permite tirar vantagem de tudo e criar histórias em que somos sempre os heróis, nunca os vilões. Se a chave de nossa desonestidade é nossa capacidade de nos julgarmos pessoas honestas e éticas enquanto nos beneficiamos da trapaça, a criatividade talvez nos ajude a contar histórias melhores – histórias que nos possibilitam ser ainda mais desonestos e mesmo assim nos acharmos pessoas maravilhosamente honestas.

A combinação de resultados positivos e desejados, por um lado, e o lado sombrio da criatividade, por outro, deixa-nos em uma situação difícil. Embora queiramos e necessitemos da criatividade, também está claro que, sob certas circunstâncias, ela pode exercer uma influência negativa.

Como o historiador (e também meu colega e amigo) Edward J. Balleisen descreve em um de seus livros, sempre que ocorre um grande avanço tecnológico nos negócios – seja pela invenção do serviço postal, do telefone, do rádio, do computador ou dos títulos lastreados em hipotecas –, tal progresso permite às pessoas se aproximarem das fronteiras tanto da tecnologia quanto da desonestidade. Somente mais tarde, depois que as capacidades, os efeitos e as limitações de uma tecnologia são estabelecidos, é que podemos definir as formas desejáveis e abusivas de usar essas ferramentas novas.

Como exemplo, Ed mostra que um dos primeiros usos do serviço postal americano foi para vender produtos inexistentes. Levou algum tempo até que aquilo fosse solucionado, mas o problema das fraudes postais acabaria introduzindo um forte conjunto de regras que agora ajudam a assegurar a alta qualidade, a eficiência e a confiança nos correios. Se você pensa no desenvolvimento tecnológico a partir dessa perspectiva, entende que devemos ser gratos a alguns trapaceiros criativos por algumas de suas inovações e parte de nosso progresso.

Por onde isso nos conduz? Obviamente, deveríamos continuar contratando gente criativa, aspirando a ser criativos e incentivando a criatividade nos outros. Mas também precisamos entender os vínculos entre criatividade e desonestidade, e tentar restringir os casos em que pessoas criativas possam ser tentadas a usar suas habilidades para encontrar novas formas de má conduta.

Por sinal, não sei se já mencionei, mas me acho não só incrivelmente honesto como também altamente criativo.

8

A TRAPAÇA PODE SER CONTAGIOSA

Como contraímos o vírus da desonestidade

Passo grande parte do meu tempo dando palestras ao redor do mundo sobre os efeitos do comportamento irracional. Assim, naturalmente, viajo muito de avião. Uma vez meu itinerário incluiu voar de minha casa no estado americano da Carolina do Norte até a cidade de Nova York e dali para São Paulo, Bogotá (Colômbia), Zagreb (Croácia), San Diego (estado da Califórnia) e de volta para a Carolina do Norte. No processo de acumular tantas milhas, já aturei muitos insultos e chateações ao passar por controles de segurança e tentar recuperar bagagens extraviadas. Mas isso não é nada em comparação com o inconveniente de ficar doente enquanto viajo, por isso estou sempre tentando minimizar minhas chances de adoecer.

Em determinado voo transatlântico, enquanto preparava uma palestra para o dia seguinte sobre conflitos de interesses, notei que o passageiro ao lado parecia estar fortemente resfriado. Talvez sua doença, meu medo de contrair algo em geral, a privação de sono ou a mera natureza aleatória e divertida das livres associações me fizeram refletir sobre a semelhança entre os germes que meu colega de poltrona e eu estávamos compartilhando e o recente surto de desonestidade corporativa.

Como mencionei, o colapso da Enron aumentou meu interesse pelo fenômeno das fraudes corporativas – e meu interesse continuou crescendo após a onda de escândalos em empresas como Kmart, WorldCom, Tyco,

Halliburton, Bristol-Myers Squibb, Freddie Mac, Fannie Mae; a crise financeira de 2008; e, é claro, a Bernard L. Madoff Investment Securities. Vendo de fora, parecia que a frequência dos escândalos financeiros vinha aumentando. Seria por causa de aperfeiçoamentos na detecção dos comportamentos desonestos e ilegais? Ou por conta de uma deterioração da bússola moral e de um aumento real na desonestidade? Ou haveria também um elemento contagioso da desonestidade que vinha se fortalecendo no mundo corporativo?

Enquanto a pilha de lenços usados do meu vizinho resfriado crescia, passei a cogitar se alguém poderia se contagiar com um "micróbio da imoralidade". Será que havia um aumento real na desonestidade social? Ela poderia estar se espalhando como uma infecção, um vírus ou uma bactéria contagiosa, transmissível por mera observação ou contato direto? Poderia haver uma conexão entre essa ideia de infecção e as histórias de fraude e desonestidade que temos visto cada vez mais por toda parte? E, se houvesse essa conexão, seria possível detectar o tal "vírus" prematuramente e impedir que causasse estragos?

Para mim, tratava-se de uma possibilidade intrigante. Chegando em casa, comecei a ler sobre bactérias e aprendi que temos inúmeras delas dentro, sobre e em torno de nosso corpo. Também aprendi que, enquanto temos apenas uma quantidade limitada de bactérias nocivas, conseguimos controlá-las bem. Mas os problemas tendem a surgir quando o número de bactérias se torna tão grande que perturba nosso equilíbrio natural ou quando um grupo de bactérias particularmente nocivas transpõe as defesas do organismo.

Para ser justo, estou longe de ser o primeiro a pensar nessa conexão. Nos séculos XVIII e XIX, os reformadores penitenciários acreditavam que os criminosos, assim como os doentes, deveriam ser mantidos separados e em locais ventilados para evitar o contágio. É claro que não tomei a analogia entre a disseminação da desonestidade e das doenças tão ao pé da letra como meus predecessores. Alguma espécie de miasma transmissível pelo ar provavelmente não transformará as pessoas em criminosos. Mas, correndo o risco de estender demais a metáfora, achei que o equilíbrio natural da honestidade social poderia ser abalado também se fôssemos colocados próximo de alguém que esteja trapaceando. Talvez observar a desonestidade nas pessoas ao nosso redor pudesse ser mais "contagioso" do que observar o mesmo nível de desonestidade em pessoas menos próximas ou menos influentes em nossa vida.

Atendo-me à metáfora da infecção, refleti sobre a intensidade da exposição à trapaça e qual nível de comportamento desonesto seria preciso para inclinar a balança de nossas ações. Se vemos um colega saindo do almoxarifado com um punhado de canetas, por exemplo, será que começamos imediatamente a pensar que está certo seguir seu exemplo e apanhar também alguns materiais de escritório? Desconfio que não é bem assim. Em vez disso, como em nosso relacionamento com as bactérias, poderia existir um processo mais lento e sutil de acumulação: talvez, quando vemos alguém trapacear, uma impressão microscópica seja deixada conosco e fiquemos ligeiramente mais corruptos. Então, na próxima vez que testemunhamos uma conduta antiética, nossa moralidade é erodida ainda mais e nos comprometemos gradativamente à medida que cresce o número de "germes" imorais aos quais estamos expostos.

Alguns anos atrás, comprei uma máquina de venda automática achando que seria uma ferramenta interessante para realizar experimentos relacionados a preços e descontos. Por alguns meses, Nina Mazar e eu usamos a máquina para ver o que aconteceria se oferecêssemos às pessoas um desconto probabilístico em vez de um desconto fixo. Traduzindo: configuramos a máquina para que alguns doces estivessem marcados com um desconto de 30% em relação ao preço normal de 1 dólar, enquanto outros davam aos usuários uma chance de 70% de pagar um preço cheio de 1 dólar e uma chance de 30% de obter todo o dinheiro de volta (e, portanto, não pagar nada).

Caso você esteja interessado nos resultados desse experimento, saiba que quase triplicamos as vendas ao dar probabilisticamente às pessoas o dinheiro de volta. Esse desconto probabilístico é uma história para outra oportunidade, mas esse esquema em que os usuários obtinham seu dinheiro de volta nos deu uma ideia para testar outro caminho para trapacear.

Certa manhã a máquina foi levada para perto de um prédio de salas de aula no MIT. Regulei o preço interno da máquina em zero para cada um dos doces. Pela marcação do lado de fora, cada doce supostamente custava 75 centavos. Mas, no momento em que os estudantes inseriam três moedas de 25 centavos e faziam sua escolha, a máquina servia o doce e o dinheiro de volta. Colocamos também um aviso bem visível na máquina com um número de telefone caso ela apresentasse defeito.

Uma assistente de pesquisa se acomodou ali perto de modo que a máquina ficasse dentro de seu campo de visão e fingiu trabalhar no seu notebook. Mas, em vez disso, ela registrou as reações das pessoas quando confrontadas com a surpresa do doce grátis. Após fazer isso por algum tempo, ela identificou dois tipos de comportamento. Primeiro, os usuários pegavam cerca de três doces. Ao obter seu primeiro doce junto com o pagamento, a maioria verificava se aquilo aconteceria de novo (obviamente acontecia). Aí muita gente decidia tentar pela terceira vez. Mas ninguém tentou mais do que isso. As pessoas sem dúvida se lembraram de alguma ocasião em que uma máquina de venda automática engoliu seu dinheiro sem oferecer nada e provavelmente sentiram que aquela máquina generosa poderia compensar suas perdas anteriores.

A assistente também constatou que mais da metade das pessoas olhou em volta à procura de um amigo e, quando viu alguém conhecido, convidou-o para participar daquela dádiva açucarada. É claro que aquele foi apenas um estudo observacional, mas me levou a supor que, quando fazemos algo questionável, o ato de convidar nossos amigos para se juntarem a nós pode ajudar a justificar nosso comportamento. Afinal, se nossos amigos transpõem os limites éticos conosco, isso não fará com que nossa ação pareça socialmente mais aceitável aos nossos olhos? Chegar a esse ponto para justificar nosso mau comportamento poderia parecer exagerado, mas com frequência nos tranquilizamos quando nossas ações estão alinhadas com as normas sociais daqueles à nossa volta.

Trapaça contagiosa em sala de aula

Após a experiência com a máquina de venda automática, comecei a observar a natureza contagiosa da trapaça em outros lugares também – inclusive em sala de aula.

Alguns anos atrás, no início do semestre, perguntei aos 500 alunos de graduação de minha cadeira de economia comportamental quem acreditava que conseguia prestar atenção na aula enquanto usava seu computador para atividades não relacionadas à aula (redes sociais, sites, e-mail, etc.) Felizmente, a maioria respondeu que não conseguia realizar bem várias tarefas ao mesmo tempo (o que é verdade). Então indaguei quem teria autocontrole suficiente para não usar seu notebook em atividades não relacionadas à aula se estivesse aberto à sua frente. Quase ninguém levantou a mão.

Àquela altura eu estava em conflito entre proibir notebooks (que são úteis para tomar notas) na sala de aula e permitir seu uso acrescentando alguma intervenção – para ajudar os alunos a combater a falta de autocontrole. Dada minha natureza otimista, pedi aos alunos que levantassem a mão direita e repetissem depois de mim: "Eu nunca, nunca, nunca usarei meu computador em aula para qualquer assunto não relacionado ao curso. Não lerei nem enviarei e-mails. Não usarei o Facebook nem outras redes sociais e não navegarei na internet para consultar qualquer material sem relação com o curso durante a aula."

Os estudantes fizeram o juramento e fiquei muito satisfeito comigo mesmo – por algum tempo.

De vez em quando mostro vídeos na aula para ilustrar uma questão e dar aos alunos uma mudança no ritmo e na atenção. Costumo aproveitar esse tempo para ir ao fundo da sala e assistir aos vídeos de lá. Ora, estar de pé no fundo da sala me dá uma visão direta das telas dos notebooks deles. Durante as primeiras semanas do semestre, suas telas só exibiram materiais ligados ao curso. Mas, com o avançar dos meses, observei que, a cada semana, mais e mais telas estavam abertas em sites bem familiares porém nada relacionados ao curso, com o Facebook e programas de e-mail frequentemente em primeiro plano.

Em retrospecto, creio que a condição de escuridão durante a exibição dos vídeos era um dos culpados pela deterioração do compromisso dos alunos. Uma vez que a classe ficava às escuras e um estudante usava seu notebook para uma atividade alheia ao curso, ainda que só por um minuto, muitos outros, além de mim, podiam ver o que ele estava fazendo. Aquilo provavelmente levava mais gente a seguir o mesmo padrão de mau comportamento. Como descobri, a promessa de honestidade ajudou no princípio, mas acabou não resistindo ao poder da norma social emergente, fruto da observação do mau comportamento alheio.*

Uma maçã podre

Minhas observações da desonestidade no campus e minhas divagações a bordo do avião sobre contágio social eram, obviamente, meras especulações. Para adquirir uma visão mais abalizada da natureza contagiosa da desonestidade, Francesca Gino, Shahar Ayal (professor do Centro Interdisciplinar em Israel) e eu decidimos realizar alguns experimentos na Universidade Carnegie Mellon, onde Francesca trabalhava como professora convidada.

Organizamos o teste da matriz da mesma forma geral já descrita (embora usássemos uma versão mais fácil), mas com algumas diferenças importantes. A primeira foi que, junto com as folhas de exercícios contendo as matrizes, o pesquisador entregava um envelope de papel pardo contendo 10 dólares em dinheiro (oito notas de 1 dólar e quatro moedas de 50 centavos) para cada participante. Essa mudança no procedimento de pagamento significou que, ao final do experimento, os estudantes pagavam a si próprios e deixavam para trás o dinheiro que não haviam conquistado.

Na condição de controle, em que não havia oportunidade de trapacear, depois que acabava o tempo determinado o estudante contava quantos problemas tinha acertado e embolsava a quantia de dinheiro exata do envelope. Em seguida ele entregava a folha de exercícios mais o envelope com o dinheiro restante ao pesquisador, que conferia a folha, contava o dinheiro e liberava o estudante com seus ganhos. Até aí, tudo bem.

Na condição da fragmentadora de papel, as instruções eram um pouco diferentes. Nela, o pesquisador informava aos participantes: "Após conferir suas matrizes, vá até a fragmentadora no fundo da sala, destrua sua folha, então volte à sua cadeira e pegue do envelope a quantia de dinheiro que ganhou. Depois disso, estará livre para ir embora. Na saída, coloque

---

* O mais eficaz seria pedir aos alunos que realizassem o juramento no início de cada aula, o que eu talvez faça da próxima vez.

o envelope com o dinheiro restante na caixa ao lado da porta." Então ele anunciava que o teste havia começado e punha-se a ler um livro bem volumoso (para deixar claro que não estava observando ninguém). Decorridos os cinco minutos, o pesquisador avisava que o tempo se esgotara. Os participantes largavam seus lápis, contavam o número de problemas resolvidos, fragmentavam suas folhas de exercícios, voltavam a suas cadeiras, pagavam a si mesmos e, na saída, colocavam os envelopes com o dinheiro restante na caixa. Sem surpresa, os participantes na condição da fragmentadora alegaram ter solucionado mais matrizes que aqueles na condição de controle.

Essas duas condições criaram o ponto de partida para testar o que queríamos realmente examinar: o componente social da trapaça. Para isso, pegamos a condição da fragmentadora (que permite a trapaça) e acrescentamos um elemento social. O que ocorreria se nossos participantes pudessem observar uma outra pessoa – um Madoff em formação – trapaceando abertamente? Aquilo alteraria seu nível de desonestidade?

Imagine que você seja um participante na nossa chamada condição de Madoff. Você está sentado a uma mesa e a pesquisadora dá a você e seus colegas as instruções. "Podem começar!", ela anuncia. Você mergulha no conjunto de problemas, tentando solucionar o maior número de matrizes para maximizar seus rendimentos. Uns 60 segundos depois, ainda está na primeira questão. O tempo está passando.

– Terminei! – diz um sujeito alto, magro e de cabelos louros ao se levantar e olhar para a pesquisadora. – O que eu faço agora?

"Impossível", você pensa. "Não terminei nem a primeira matriz!" Você e todos os demais dirigem a ele um olhar incrédulo. Obviamente, ele trapaceou. Ninguém poderia ter completado todas as 20 matrizes em menos de 60 segundos.

– Pode fragmentar sua folha de exercícios – informa a pesquisadora.

O sujeito vai até o fundo da sala, coloca sua folha na fragmentadora e então diz:

– Resolvi tudo, por isso o envelope do dinheiro que sobraria está vazio. O que eu faço com ele?

– Se não tem dinheiro para devolver – responde a pesquisadora, tranquila –, é só pôr o envelope vazio na caixa e depois estará livre para ir embora.

O estudante agradece, dá um tchauzinho a todos e deixa a sala sorrindo, tendo embolsado a quantia inteira. Após observar esse episódio, como você reage? Fica indignado porque o sujeito roubou e saiu impune? Muda sua conduta moral? Trapaceia menos? Mais?

Talvez você se sinta um pouco melhor ao saber que o sujeito que trapaceou tão descaradamente era um estudante de teatro chamado David, que contratamos para desempenhar aquele papel. Queríamos averiguar se observar a conduta vergonhosa de David levaria os verdadeiros participantes a seguir seu exemplo, contraindo o "vírus da imoralidade", por assim dizer, e começando também a trapacear mais.

Eis o que descobrimos: na condição de Madoff, nossos participantes informaram que acertaram em média 15 das 20 matrizes, oito matrizes a mais que na condição de controle e três matrizes a mais que na condição da fragmentadora. Em suma, aqueles na condição de Madoff pagaram a si mesmos por aproximadamente o dobro do número de respostas que de fato acertaram.

Abaixo, um rápido resumo:

Tipo de condição	Problemas "resolvidos" (dentre 20)	Magnitude da desonestidade
Controle	7	0
Fragmentadora (é possível trapacear)	12	5
Madoff (é possível trapacear)	15	8

Esses resultados, embora interessantes, ainda não nos informam por que os participantes da condição de Madoff trapacearam mais. Após a atuação de David, eles podem ter feito um cálculo rápido e pensado: "Se ele pode trapacear e sair impune, então posso fazer o mesmo sem medo de ser pego." Se esse fosse o caso, a ação de David teria mudado a análise de custo-benefício dos participantes ao demonstrar claramente que, naquele experimento, podiam trapacear e se safar. (Essa é a perspectiva SMORC descrita no Capítulo 1.)

Uma possibilidade bem diferente é que as ações de David de algum modo sinalizaram aos outros participantes na sala que aquele tipo de conduta era socialmente aceitável, ou ao menos possível, entre seus pares. Em muitas áreas da vida, observamos os outros para saber quais comportamentos são apropriados ou inapropriados. A desonestidade pode perfeitamente ser um dos casos em que as normas sociais que definem o comportamento aceitável não estão bem claras e o comportamento dos outros – de David, nesse caso – pode moldar nossas ideias sobre o que está certo e errado. Dessa perspectiva, o aumento da desonestidade observado na condição de Madoff talvez não tenha se devido a uma análise de custo-benefício racional, e sim a novas informações e à revisão mental do que é aceitável dentro dos limites morais.

Para examinar qual das duas possibilidades explica melhor o aumento da trapaça na condição de Madoff, criamos outro experimento, com um tipo diferente de informação sociomoral. Nesse ambiente novo, queríamos ver se eliminar qualquer preocupação de ser pego mas sem dar um exemplo encenado de desonestidade também faria os participantes trapacearem mais. Pedimos a David que voltasse a trabalhar para nós, mas dessa vez ele lançaria uma pergunta quando a pesquisadora estivesse concluindo as instruções.

– Desculpe – dizia ele em voz alta para a pesquisadora. – De acordo com essas instruções, então eu posso dizer que acertei tudo e sair com todo o dinheiro, certo?

Após uma pausa de poucos segundos, a pesquisadora respondia:

– Você pode fazer o que quiser.

Por motivos óbvios, chamamos aquilo de condição da pergunta. Após ouvir aquele diálogo, os participantes logo entenderiam que naquele experimento poderiam trapacear e sair impunes. Se você fosse um participante, essa compreensão o encorajaria a trapacear mais? Você realizaria uma rápida análise de custo-benefício e concluiria que poderia sair de lá com alguma soma desmerecida? Afinal, ouviu a pesquisadora dizer "Você pode fazer o que quiser", não ouviu?

Agora façamos uma pausa e vejamos como essa versão do experimento pode nos ajudar a entender o que aconteceu na condição de Madoff. Nela os participantes foram providos de um exemplo vivo de conduta desonesta, que forneceu dois tipos de informação: de uma perspectiva de custo-benefício, ver David sair da sala com todo o dinheiro mostrou que naquele experimento a fraude não trazia nenhuma consequência negativa. Ao mesmo tempo, a ação de David forneceu aos participantes a deixa social de que pessoas como eles pareciam estar trapaceando naquele experimento. Como a condição de Madoff incluía ambos os elementos, não conseguimos saber se o aumento da desonestidade se deveu a uma reavaliação do custo-benefício, à deixa social ou a ambas.

É aí que a condição da pergunta vem a calhar. Nessa condição, somente o primeiro elemento (perspectiva de custo-benefício) estava presente. Quando David fez a pergunta e a pesquisadora confirmou que a fraude, além de possível, também não traria consequência, ficou claro aos participantes que trapacear naquele ambiente não acarretava nenhum ônus. E, o mais importante, a condição da pergunta mudou a compreensão dos participantes da consequência sem dar um exemplo vivo ou uma deixa social de alguém de seu grupo social que estava trapaceando.

Se o grau de desonestidade na condição da pergunta fosse o mesmo que na condição de Madoff, concluiríamos que o que fez o nível de trapaça aumentar nas duas condições foi provavelmente a informação de que trapacear não traria consequências. Por outro lado, se o grau de desonestidade na condição da pergunta fosse bem menor do que na condição de Madoff, concluiríamos que o que causou o nível extra-alto de trapaça na condição de Madoff foi o sinal social – a percepção de que pessoas do mesmo grupo social acham aceitável trapacear naquela situação.

O que você acha que aconteceu? Na condição da pergunta, nossos participantes alegaram ter resolvido uma média de 10 matrizes – cerca de três a mais que na condição de controle (o que significa que trapacearam), mas cerca de duas matrizes a menos que na condição da fragmentadora de papel e cinco matrizes a menos que na condição de Madoff. Depois que os participantes observaram a pesquisadora informar a David que poderia fazer o que quisesse, a desonestidade na verdade *decresceu*. O oposto do que aconteceria se nossos participantes tivessem se engajado somente numa análise racional de custo-benefício. Além disso, esse resultado indica que, quando nos conscientizamos da possibilidade de conduta imoral, refletimos sobre nossa moralidade (como nos experimentos dos Dez Mandamentos e do código de honra no Capítulo 2). E, em consequência, comportamo-nos de forma mais honesta.

Grupos sociais

Embora esses resultados fossem promissores, queríamos obter mais suporte e indícios diretos para a ideia de que a desonestidade pode ser socialmente contagiosa. Em nosso próximo experimento, a condição de Madoff permanecia: nosso ator se levantava poucos segundos após o início do experimento e anunciava que havia solucionado tudo, e assim por diante. Mas dessa vez havia uma diferença ligada à moda: o ator vestia um casaco de moletom da Universidade de Pittsburgh.

Deixe-me explicar: Pittsburgh tem duas universidades de alto nível: a Universidade de Pittsburgh (UPitt) e a Universidade Carnegie Mellon (CMU). Como muitas instituições de ensino superior que ficam próximas, as duas têm uma longa tradição de rivalidade. Esse espírito competitivo era exatamente do que precisávamos para testar ainda mais nossa hipótese da trapaça como contágio social.

Realizamos todos esses experimentos na Universidade Carnegie Mellon e todos os nossos participantes eram alunos dela. Na condição de Madoff básica, David vestia camiseta e calça jeans comuns, dando a entender que era aluno da Carnegie Mellon como os demais participantes. Mas, na nossa condição nova, que chamamos de "condição de Madoff com intruso", David vestia o casaco de moletom azul e dourado da UPitt. Com isso, sinalizava aos demais alunos que era alguém de fora, que não fazia parte do seu grupo social. Na verdade, pertencia a um grupo rival.

A lógica dessa condição era semelhante àquela da condição da pergunta. Raciocinamos que, se a desonestidade observada na condição de Madoff aumentou por causa da percepção de que, já que David podia trapacear e sair impune, então os outros participantes também poderiam, independentemente de David estar trajado como estudante da CMU ou da UPitt. Afinal, a informação de que a desonestidade escancarada não tinha consequência negativa era a mesma qualquer que fosse o traje.

Por outro lado, se o aumento da desonestidade na condição de Madoff se devesse a uma norma social emergente que revelava que trapacear era aceitável no grupo social dos participantes, essa influência só funcionaria quando nosso ator fizesse parte do grupo (um aluno da Carnegie Mellon) e não quando fosse membro de outro grupo, rival (um aluno da UPitt).

O elemento crucial desse esquema, portanto, era o vínculo social que ligava David aos outros participantes: se estivesse vestindo o moletom da UPitt, os estudantes da CMU continuariam bancando os macacos de imitação ou resistiriam à sua influência?

Para recapitular os resultados até então, eis o que vimos: quando a desonestidade era possível na condição da fragmentadora mas não anunciada por David, os estudantes declararam ter acertado, em média, 12 matrizes – cinco a mais do que na condição de controle. Quando David se levantou vestindo roupas comuns da CMU na condição de Madoff, os participantes declararam ter acertado cerca de 15 matrizes. Quando David fez uma pergunta sobre a possibilidade de trapacear e recebeu o sinal verde, os participantes declararam ter acertado apenas 10 matrizes. E, finalmente, na condição de Madoff com intruso (quando David usou um moletom da UPitt), os estudantes que o observaram trapaceando declararam ter acertado apenas nove matrizes. Eles ainda trapacearam em relação à condição de controle (por cerca de duas matrizes), mas por seis matrizes a menos do que quando acharam que David fazia parte de seu grupo social.

Assim ficaram nossos resultados:

Tipo de condição	Problemas "resolvidos" (dentre 20)	Magnitude da desonestidade
Controle (é impossível trapacear)	7	0
Fragmentadora (é possível trapacear)	12	5
Madoff (é possível trapacear)	15	8
Pergunta (é possível trapacear)	10	3
Madoff com intruso (é possível trapacear)	9	2

Juntos, esses resultados mostram não apenas que a desonestidade é comum, mas que é contagiosa e pode ser aumentada quando se observa o mau comportamento dos outros à nossa volta. Especificamente, parece que as forças sociais atuam de duas formas diferentes: quando o trapaceiro faz parte de nosso grupo social, nós nos identificamos com essa pessoa e, em consequência, sentimos que trapacear é mais aceitável socialmente. Mas, quando a pessoa que trapaceia é alguém de fora, fica mais difícil justificar nossa má conduta e nos tornamos mais éticos por causa do desejo de nos distanciarmos daquela pessoa imoral e daquele outro grupo (bem menos ético).

Em termos mais gerais, esses resultados mostram a importância das outras pessoas na definição de limites aceitáveis para nosso comportamento, incluindo a desonestidade. Conforme vemos outros membros de nosso grupo social comportando-se fora da faixa aceitável, é provável que também reajustemos nossa bússola moral interna e adotemos o comportamento deles como um modelo para o nosso. E, caso o membro de nosso grupo seja uma figura de autoridade – pai, chefe, professor ou mais alguém que respeitamos –, as chances de sermos influenciados são ainda maiores.

Panelinha

Uma coisa é se irritar com um bando de estudantes que enganam sua universidade por uns poucos dólares (embora mesmo essa desonestidade se acumule rapidamente). Outra coisa é quando a trapaça é institucionalizada em escala maior. Quando uns poucos privilegiados se desviam da norma, contagiam aqueles em volta, que, por sua vez, contagiam aqueles em volta deles, e por aí vai – o que suspeito ter ocorrido na Enron em 2001, em Wall Street nos eventos que culminaram em 2008, além de em muitos outros casos.

É fácil imaginar o seguinte cenário: Bob, um operador do mercado financeiro conhecido do GiantBank, se envolve em transações suspeitas – cobrando exageradamente por alguns produtos financeiros, adiando a contabilização de prejuízos para o ano seguinte e assim por diante – e, no processo, ganha rios de dinheiro. Outros operadores do GiantBank ficam sabendo das manobras do colega. Saem para almoçar e, em meio a uns drinques, discutem o que Bob vem fazendo. Na mesa ao lado, um pessoal do Megabank ouve a conversa. A notícia se espalha.

Em relativamente pouco tempo fica claro para muitos outros operadores que Bob não é a única pessoa a manipular números. Além disso, eles o consideram membro de seu grupo. Para eles, manipular os números agora se torna um comportamento aceitável, ao menos dentro do domínio de "permanecer competitivo" e "maximizar o valor para os acionistas".*

De forma semelhante, considere o seguinte cenário: um banco usa o dinheiro de resgate financeiro do governo para pagar dividendos aos seus acionistas (ou talvez o banco simplesmente mantenha o dinheiro em vez de emprestá-lo). Logo os CEOs de outros bancos começam a ver esse comportamento como apropriado. Trata-se de um processo fácil, um caminho escorregadio ladeira abaixo. E é o tipo de coisa que acontece à nossa volta diariamente.

É óbvio que os bancos não são os únicos lugares onde ocorre esse tipo deplorável de escalada. Você pode encontrá-la em qualquer parte, inclusive em órgãos governamentais como o Congresso americano. Um exemplo de deterioração das normas sociais nos salões legislativos envolve os comitês de ação política (em inglês: *political action committees*, PACs). Cerca de 30 anos atrás, esses grupos foram criados como um meio para os membros do Congresso arrecadarem dinheiro para seu partido e seus colegas legisladores, a ser usado durante batalhas eleitorais difíceis. O dinheiro vem basicamente de lobistas, empresas e grupos de interesses especiais, e as quantias doadas não sofrem as limitações das contribuições aos candidatos individuais. Além da tributação e de precisar ser informado à Comissão Eleitoral Federal, o uso do dinheiro dos PACs está sujeito a poucas restrições.

Como se pode imaginar, os membros do Congresso se habituaram a usar seus fundos dos PACs para uma série de atividades alheias às eleições – de honorários para babás a contas de bar, temporadas de esqui no Colorado e

---

* Desconfio que empresas que adotam a ideologia de maximizar o valor para o acionista acima de tudo possam usar esse princípio para justificar uma série de condutas impróprias, de fraudes financeiras a jurídicas e ambientais. O fato de a remuneração dos executivos estar ligada ao preço da ação provavelmente só aumenta seu compromisso com o "valor para o acionista".

assim por diante. Além disso, menos de metade dos milhões de dólares arrecadados pelos PACs foi para os políticos que estavam de fato disputando eleições; o resto costumava ser aplicado em diferentes regalias: arrecadação de fundos, despesas gerais, despesas de pessoal e outras.

Para lidar com o mau uso do dinheiro dos PACs, a primeira lei que o Congresso aprovou após as eleições legislativas de 2006 tentou limitar os gastos discricionários dos membros do Congresso, forçando-os a divulgar publicamente como gastavam seu dinheiro dos PACs. Porém – o que nos pareceu um tanto previsível – a legislação pelo visto não surtiu nenhum efeito. Poucas semanas após aprovarem a lei, os congressistas estavam se comportando de modo tão indecoroso como antes. Alguns gastaram o dinheiro dos PACs em clubes de striptease, torrando milhares de dólares em festas e em geral se comportando sem nenhum senso de responsabilidade.

Como isso é possível? É simples. Com o tempo, conforme os congressistas testemunhavam seus colegas políticos usando os fundos dos PACs de formas dúbias, sua norma social coletiva deu uma guinada para pior. Pouco a pouco, ficou consagrado que os PACs podem ser usados para quaisquer atividades pessoais e "profissionais" – e agora o mau uso desses fundos é tão comum quanto ternos e gravatas na capital do país. Como respondeu Pete Sessions (um congressista republicano do Texas) quando questionado após torrar alguns milhares de dólares na sofisticada casa noturna Forty Deuce, em Las Vegas: "Já não consigo mais saber direito o que é normal ou correto."[1]

Você poderia supor, dada a polarização no Congresso, que tais influências sociais negativas estariam contidas dentro dos partidos. Talvez achasse que, se um democrata rompe as regras, seu comportamento influenciaria apenas outros democratas, e que o mau comportamento de republicanos influenciaria apenas os republicanos. Mas minha experiência (limitada) em Washington indica que, longe do olho vigilante da imprensa, as práticas sociais de democratas e republicanos (por mais díspares que sejam suas ideologias) estão bem mais próximas do que pensamos. Com isso, criam-se as condições para o comportamento antiético de qualquer congressista se estender além das fronteiras partidárias e influenciar outros membros, independentemente de sua afiliação.

FÁBRICAS DE REDAÇÕES

Caso você não esteja familiarizado, existem muitas empresas por aí que produzem redações para alunos do ensino médio e dissertações e teses para universitários (em troca de uma taxa, é claro).

Os professores em geral se preocupam com a compra desses trabalhos prontos e seu impacto no aprendizado. Mas, sem nenhuma experiência pessoal com as "fábricas de redações" e sem a mínima ideia do que realmente fazem ou quão boas são, fica difícil saber se deveríamos ou não estar preocupados. Assim, Aline Grüneisen (a gerente do laboratório do meu centro de pesquisas na Universidade Duke) e eu decidimos verificar algumas das fábricas mais populares. Encomendamos um conjunto de trabalhos de conclusão de curso típicos a algumas das empresas e o tema da redação que escolhemos foi (surpresa!) "Trapaça".

Eis a tarefa que terceirizamos para as fábricas de redações:

Quando e por que as pessoas trapaceiam? Considere as circunstâncias sociais envolvidas na desonestidade e faça uma reflexão sobre o tema da trapaça. Aborde diferentes formas de fraude (pessoal, profissional, etc.) e como cada uma delas pode ser racionalizada por uma cultura social da desonestidade.

Pedimos que, em duas semanas, entregassem um trabalho de conclusão de curso de 12 páginas para uma matéria de psicologia social usando 15 referências, formatadas no estilo da Associação Psicológica Americana (APA). Tratava-se, ao que achávamos, de um pedido bem básico e convencional. As empresas cobraram de 150 a 216 dólares por redação antecipadamente.

Duas semanas depois, o que recebemos seria mais bem descrito como lixo. Umas poucas redações tentaram seguir o estilo da APA, mas nenhuma conseguiu evitar erros gritantes. As citações eram desleixadas e as listas de referências, deploráveis – incluindo fontes desatualizadas e desconhecidas, algumas das quais eram matérias de canais de notícias on-line, publieditoriais ou blogs, e outras eram simplesmente links defeituosos.

Em termos da qualidade do texto em si, os autores de todas as redações pareceriam ter uma noção mínima da língua inglesa e da estrutura de uma redação básica. Os parágrafos saltavam toscamente de um tema a outro e muitas vezes descambavam no formato de lista, enumerando diferentes formas de trapaça ou fornecendo uma longa sequência de exemplos que nunca eram explicados nem relacionados à tese da redação. Das muitas afrontas literárias, selecionamos as seguintes pérolas:

Trapaça por curandeiros. Curandeirismo é diferente. Existe o curandeirismo inofensivo, quando curandeiros-trapaceiros e magos oferecem previsões, trabalhos a serem desfeitos, o marido/esposa de volta e coisas assim. Lemos nos jornais e apenas sorrimos. Mas hoje em dia menos pessoas creem em feitiçaria.

Se a grande proporção de estudos realizados sobre a traição acadêmica é alguma indicação da ânsia do meio acadêmico e dos professores em reduzir a traição acadêmica, pareceria esperado que essas mentalidades iriam se compor na criação das diretrizes de suas salas de aula.

Ao confiar cegamente apenas em amor estável, fidelidade, responsabilidade e honestidade, os parceiros se assimilam às pessoas crédulas e ingênuas do passado.

A geração futura precisa aprender para erros históricos e desenvolver a sensação de orgulho e responsabilidade por suas ações.

Àquela altura, ficamos bem aliviados ao constatar que ainda não chegara o dia em que os estudantes poderão submeter textos das fábricas de redações e obter boas notas. Além disso, concluímos que, se eles tentassem comprar uma dissertação pronta de uma empresa, como fizemos, sentiriam que haviam desperdiçado seu dinheiro e não voltariam a tentar.

Mas a história não se encerra aqui. Submetemos as redações adquiridas ao WriteCheck.com, um site que inspeciona a existência de plágio nas dissertações, e descobrimos que metade dos textos recebidos

> foi em grande parte copiada de trabalhos existentes. Decidimos tomar uma providência e contatamos as fábricas de redações para solicitar o dinheiro de volta. Apesar das provas sólidas da WriteCheck.com, as empresas insistiram que não haviam plagiado nada. Uma delas chegou a nos ameaçar de processo e de entrar em contato com o gabinete do reitor na Duke para alertá-lo do fato de que eu havia submetido trabalhos que não eram meus. Desnecessário dizer, jamais fomos reembolsados...
>
> A conclusão a que chegamos é que os professores não deveriam se preocupar muito com essas empresas que vendem trabalhos prontos, ao menos por ora. A revolução tecnológica ainda não solucionou esse desafio específico para os estudantes e estes continuam não tendo outra opção a não ser escrever os próprios trabalhos e dissertações (ou talvez trapacear da forma antiquada, usando o trabalho de algum estudante que cursou a matéria nos semestres anteriores).
>
> Mesmo assim, eu me preocupo com a existência de fábricas de redações e o sinal que enviam aos nossos alunos, que é o da aceitação institucional da trapaça, não apenas durante a faculdade, mas após se graduarem.

Como recuperar nossa saúde ética?

A ideia de que a desonestidade pode ser transmitida de uma pessoa a outra via contágio social sugere a necessidade de adotarmos uma abordagem diferente para reprimir a desonestidade. Em geral, costumamos ver pequenas infrações como coisas triviais e inconsequentes. Pecadilhos podem ser relativamente insignificantes em si, mas, quando se acumulam em uma mesma pessoa, entre muitas pessoas e nos grupos, podem enviar um sinal de que a má conduta é aceitável em escala maior.

Visto dessa forma, é importante perceber que os efeitos das transgressões individuais podem ir além de um ato desonesto isolado. Transmitida de uma pessoa a outra, a desonestidade tem um efeito socialmente erosivo lento e gradual. À medida que o "vírus" sofre mutações e se espalha de indivíduo para indivíduo, um novo código de conduta, menos ético, se desenvolve. E, embora seja sutil e gradual, o resultado pode ser desastroso. Tais são o custo real mesmo de casos menores de trapaça e a razão de precisarmos ser mais vigilantes em nossos esforços para reprimir até as pequenas infrações.

Então, o que podemos fazer a respeito? Uma pista pode estar na "teoria das janelas quebradas", a base de um artigo de 1982 de George Kelling e James Wilson publicado na revista *The Atlantic*. Kelling e Wilson apresentaram um componente essencial para a manutenção da ordem em bairros barra-pesada, que não era simplesmente pôr mais policiais na rua. Eles argumentaram que, se as pessoas em uma área decadente da cidade virem um prédio com algumas janelas quebradas e há muito tempo sem reparos, ficarão tentadas a quebrar ainda mais janelas e danificar ainda mais o prédio e seu entorno. Com base na teoria das janelas quebradas, sugeriram uma estratégia simples para prevenir o vandalismo: consertar os problemas quando ainda são pequenos. Se você consertar cada janela quebrada (ou outras más condutas) imediatamente, diminuirá a tendência de outros infratores potenciais se comportarem mal.

Embora tenha sido difícil provar ou refutar a teoria das janelas quebradas, sua lógica é convincente. Ela sustenta que não deveríamos desculpar, ignorar ou perdoar pequenos crimes, porque assim só pioramos as coisas. Isso é especialmente importante para aqueles em evidência: políticos, funcionários públicos, celebridades e CEOs. Pode parecer injusto exigir deles padrões mais elevados, mas, se levarmos a sério a ideia de que o comportamento publicamente observado tem um impacto maior em quem o acompanha, isso significa que a má conduta pode ter maiores consequências para a sociedade como um todo mais à frente.

Em contraste com essa visão, parece que as celebridades costumam ser castigadas por seus crimes com punições mais leves que o resto da população, o que poderia sinalizar ao público que esses crimes e transgressões não são tão ruins assim.

A boa notícia é que também podemos tirar vantagem do lado positivo do contágio moral. Como? Promovendo publicamente os indivíduos que resistem à corrupção. Sherron Watkins, da Enron, Coleen Rowley, do FBI, e Cynthia Cooper, da WorldCom, são grandes exemplos de pessoas que resistiram à má conduta em suas organizações e que em 2002 foram escolhidas pela revista *Time* como as personalidades do ano.

Tomar conhecimento de atos de honestidade é importantíssimo para nosso senso de moralidade social. E, embora eles dificilmente obtenham a mesma cobertura sensacionalista, quando entendemos o contágio social fica claro que precisamos também reconhecer a importância de promover publicamente atos morais excepcionais. Com mais exemplos nítidos de comportamentos elogiáveis, podemos melhorar o que a sociedade vê como comportamentos aceitáveis e inaceitáveis e, por fim, melhorar nossas ações.

9

TRAPAÇA COLABORATIVA

Por que duas cabeças não são necessariamente melhores do que uma

Em quase qualquer organização o trabalho em equipe toma boa parte do tempo de um funcionário. Uma grande parcela da atividade econômica e da tomada de decisões ocorre por meio da colaboração. De fato, mais da metade dos funcionários americanos atualmente gastam ao menos parte de seus dias trabalhando num ambiente de grupo.[1]

Basta contar o número de reuniões, equipes de projeto e experiências colaborativas de que você participou nos últimos seis meses para perceber rapidamente quantas horas de trabalho as atividades em grupo consomem. O trabalho em grupo também desempenha um papel relevante na educação. Por exemplo, a maioria das tarefas de alunos de MBA e de muitas cadeiras de graduação é feita em grupo.

Em geral, as pessoas costumam achar que trabalhar em equipe influencia positivamente os resultados e aumenta a qualidade global das decisões.[2] (Na verdade, muitas pesquisas mostraram que a colaboração pode reduzir a qualidade das decisões. Mas esse é um tema para outro momento.) Acredita-se que há pouco a perder e tudo a ganhar com a colaboração – inclusive ao estimular uma sensação de camaradagem, aumentar o nível de diversão no trabalho e beneficiar todos com a troca e o desenvolvimento de novas ideias, tudo isso resultando em funcionários mais motivados e eficazes. Como não ser a favor dessa prática?

★ ★ ★

Alguns anos atrás, em um curso da pós-graduação, falei sobre algumas pesquisas minhas relacionadas aos conflitos de interesses (ver Capítulo 3). Depois da aula, uma aluna (vou chamá-la de Jennifer) contou que se identificou com a discussão. Fez com que se lembrasse de um incidente ocorrido alguns anos antes, quando estava trabalhando como contadora pública certificada (CPA) em um grande escritório de contabilidade.

Jennifer contou que produzia relatórios anuais, formulários de referência e outros documentos que informariam os acionistas sobre a situação de suas empresas. Um dia seu chefe pediu que a equipe dela preparasse um relatório para a reunião anual de acionistas de um de seus maiores clientes. A tarefa envolvia examinar todas as demonstrações financeiras do cliente e descobrir a posição financeira da empresa. Era uma grande responsabilidade e Jennifer e sua equipe se esforçaram para produzir um relatório abrangente e detalhado que fosse honesto e realista. Ela deu o melhor de si para preparar o documento o mais precisamente possível, sem, por exemplo, exagerar os lucros nem protelar o informe de quaisquer prejuízos para o próximo ano contábil. Então deixou a minuta do relatório na mesa do chefe, aguardando (com certa ansiedade) o feedback.

Naquele mesmo dia Jennifer recebeu o relatório de volta com um bilhete do chefe: "Não gosto desses números. Por favor, reúna sua equipe e me forneça uma versão revisada na próxima quarta-feira." Ora, várias são as razões pelas quais seu chefe podia não ter "gostado" dos números, e não ficou inteiramente claro para ela o que ele quis dizer. Além disso, não "gostar" dos números é algo bem diferente de os números estarem errados – o que não foi insinuado.

Uma série de dúvidas passou pela cabeça de Jennifer: "O que exatamente ele quis dizer? Quão diferentes devem ser os números? Meio por cento? Um por cento? Cinco por cento?" Ela também não entendeu quem seria responsável por quaisquer "melhorias" que ela introduzisse. Se as revisões se mostrassem otimistas demais e, mais à frente, alguém viesse a ser culpado por elas, seria ela ou o chefe?

★ ★ ★

O trabalho de um contador é em si um tanto aberto a interpretações. É verdade que existem algumas regras bem definidas. Mas também há um conjunto de sugestões – conhecidas nos Estados Unidos e no Brasil como Princípios Contábeis Geralmente Aceitos (GAAP) – que os contadores supostamente devem seguir. Essas diretrizes são tão genéricas que existe uma grande variação em como eles podem interpretar os relatórios financeiros, garantindo-lhes uma boa liberdade de ação. (E com frequência há incentivos financeiros para "adaptar" as diretrizes em certo grau.) Por exemplo, uma das regras, "o princípio da sinceridade", declara que o relatório do contador deve refletir a situação financeira da empresa "de boa-fé". Ora, "de boa-fé" é vago e subjetivo demais. É claro que nem tudo (na vida ou na contabilidade) é precisamente quantificável, mas o termo "de boa-fé" levanta algumas questões: significa que os contadores podem agir de má-fé?* E a quem se dirige essa boa-fé? Às pessoas que comandam a empresa? Aos que gostariam que as demonstrações contábeis parecessem impecáveis e rentáveis (aumentando assim seus bônus e sua remuneração)? Aos investidores? Ou deveria se dirigir àqueles que querem uma ideia clara da condição financeira da empresa?

Como se não bastasse a complexidade e a ambiguidade inerentes à sua tarefa original, Jennifer estava agora sob pressão adicional do seu chefe. Ela havia preparado o relatório inicial com aparente boa-fé, mas percebeu que estavam lhe pedindo que burlasse as regras contábeis em certo grau. Seu chefe queria números que repercutissem mais favoravelmente para o cliente.

Após refletir por um momento, Jennifer concluiu que ela e sua equipe deveriam atender ao pedido. Afinal, ele era o chefe e certamente sabia mais do que ela sobre contabilidade, sobre como interagir com os clientes e sobre as expectativas deles. No final, embora Jennifer houvesse começado o processo com a intenção de ser a mais precisa possível, acabou voltando atrás: revisando os relatórios, refazendo os números e retornando com um relatório "melhor". Dessa vez o chefe ficou satisfeito.

---

* Outra regra imprecisa é o "princípio da prudência", segundo o qual os contadores não deveriam fazer as coisas parecerem mais cor-de-rosa do que realmente são.

Depois que Jennifer me contou sua história, continuei pensando sobre seu ambiente profissional e o efeito que trabalhar em equipe com o chefe e os colegas teve em sua decisão de ser mais "criativa" na contabilidade. Jennifer certamente enfrentara um tipo de situação bem típica no local de trabalho, mas o que realmente se destacou para mim foi que, naquele caso, a fraude ocorreu no contexto de uma equipe, algo diferente de tudo que havíamos estudado antes.

Em todos os nossos experimentos anteriores sobre desonestidade, um indivíduo sozinho tomava a decisão de trapacear (ainda que instigado pelo ato desonesto de outro). Mas, no caso de Jennifer, mais de uma pessoa estava diretamente envolvida, como é frequente em ambientes profissionais. De fato, estava claro para Jennifer que, além dela e do chefe, os colegas da equipe seriam afetados por suas ações. No final do ano a equipe inteira seria avaliada como um grupo – e seus bônus, aumentos e perspectivas futuras estavam interligados.

Comecei a refletir sobre os efeitos da colaboração na honestidade individual. Quando fazemos parte de um grupo, somos tentados a trapacear mais? Menos? Em outras palavras, o ambiente de grupo favorece ou desfavorece a honestidade? Essa pergunta está relacionada ao tema discutido no capítulo anterior: é possível que uma pessoa seja contagiada pela desonestidade de outra? Mas contágio social e dependência social são diferentes. Uma coisa é observar a conduta desonesta nos outros e, com base nela, alterar nossas percepções do que são normas aceitáveis. Outra coisa é quando o bem-estar financeiro dos outros depende de nós.

Digamos que você esteja trabalhando num projeto com seus colegas. Você não os observa necessariamente fazendo algo errado, mas sabe que eles (e você) se beneficiarão se distorcerem as regras um pouco. Você estará mais propenso a fazê-lo se souber que eles também tirarão proveito disso? O relato de Jennifer sugere que a colaboração pode nos levar a tomar algumas liberdades extras com as diretrizes morais, mas será esse um caso generalizado?

Antes de abordar alguns experimentos que examinam o impacto da colaboração sobre a desonestidade, vamos dar um passo para trás e pensar em possíveis influências positivas e negativas de equipes e da colaboração sobre nossa tendência à desonestidade.

Desonestidade altruísta: possíveis custos da colaboração

Os ambientes de trabalho são socialmente complexos, com múltiplas forças em jogo. Algumas dessas forças poderiam facilitar que processos em grupo transformem colaborações em oportunidades de fraude nas quais os indivíduos enganam mais por perceber que suas ações beneficiariam aqueles de quem gostam e com quem se importam.

Pense em Jennifer de novo. Suponha que ela fosse uma pessoa leal e gostasse de se imaginar assim. Imagine também que ela realmente se importasse com seu chefe e os membros da equipe e quisesse sinceramente ajudá-los. Com base nessas considerações, ela pode ter decidido atender ao pedido do chefe ou mesmo levar seu relatório um passo mais longe não por conta de quaisquer motivações egoístas, mas por se preocupar com o bem-estar do superior e se importar profundamente com os colegas da equipe. Em sua mente, números "ruins" talvez levassem o chefe e a equipe a perder o apoio do cliente e do escritório de contabilidade, de modo que a preocupação de Jennifer com seu grupo poderia levá-la a aumentar a magnitude de sua má conduta.

Subjacente a esse impulso está o que os cientistas sociais denominam utilidade social. Esse termo é usado para descrever nossa parte irracional porém muito humana e maravilhosamente empática que faz com que a gente se importe com os outros e tome uma atitude para ajudá-los quando possível – mesmo que nos custe algo. É claro que somos todos motivados a agir em interesse próprio até certo ponto, mas também temos um desejo de agir de modo a beneficiar as pessoas à nossa volta, particularmente aquelas com quem nos importamos. Tais sentimentos altruístas nos motivam a ajudar um estranho que está com um pneu furado, devolver uma carteira que achamos na rua, trabalhar como voluntários num abrigo de pessoas sem-teto, ajudar um amigo necessitado e assim por diante.

Essa tendência a nos importarmos com o próximo também pode possibilitar que sejamos mais desonestos em situações nas quais agir contra a ética beneficiará outros. A partir dessa perspectiva, podemos pensar na trapaça envolvendo outros como algo altruísta – em que, à semelhança de Robin Hood, enganamos porque somos pessoas boas que se importam com o bem-estar daqueles à nossa volta.

Atenção: possíveis benefícios da colaboração

No mito do anel de Giges, de Platão, um pastor chamado Giges encontra um anel que o deixa invisível. Com esse poder recém-adquirido, ele decide se entregar ao crime. Assim, viaja à corte do rei, seduz a rainha e conspira com ela para matarem o soberano e assumirem o controle do reino. Ao contar a história, Platão pergunta se existe alguém vivo que pudesse resistir a se beneficiar do poder da invisibilidade. A questão, então, é se a única força que nos impede de cometer transgressões é o medo de sermos vistos pelos outros (J. R. R. Tolkien desenvolveu esse tema milênios depois em *O Senhor dos Anéis*).

Para mim, o mito de Platão oferece uma boa ilustração da ideia de que ambientes de grupo talvez inibam nossa propensão a trapacear. Quando trabalhamos em equipe, outros membros podem agir informalmente como monitores e, sabendo que estamos sendo observados, podemos ficar menos inclinados a agir de maneira vergonhosa.

Um experimento engenhoso de Melissa Bateson, Daniel Nettle e Gilbert Roberts (todos da Universidade de Newcastle) ilustra a ideia de que a mera sensação de estar sendo observado pode inibir a má conduta. Esse experimento ocorreu na cozinha do departamento de psicologia da Universidade de Newcastle, onde chá, café e leite eram disponibilizados para professores e funcionários. Na área de preparo de chá, um cartaz na parede informava que os consumidores das bebidas deveriam contribuir com algum dinheiro para a caixa da honestidade colocada ali perto. Durante 10 semanas o cartaz foi decorado com imagens, mas o tipo das ilustrações foi trocado semanalmente. Em cinco das semanas, o cartaz foi decorado com imagens de flores, e nas outras cinco semanas o cartaz foi decorado com imagens de olhos que fitavam diretamente os consumidores das bebidas. Ao final de cada semana, os pesquisadores contavam o dinheiro na caixa da honestidade.

Terminado o experimento, eles constataram que houve algum dinheiro na caixa no final das semanas em que a imagem das flores foi colocada, mas, quando os olhos brilhantes estavam "observando", a caixa recebeu quase três vezes mais dinheiro.

Como acontece com muitas descobertas na economia comportamental, esse experimento produziu uma mescla de boas e más notícias. Do lado negativo, mostrou que mesmo membros do departamento de psicologia – que você imaginaria serem mais conscientes – tentavam sair de fininho sem dar sua contribuição pelo bem comum. Do lado positivo, concluiu que a mera sugestão de estarem sendo observados fez com que se comportassem de maneira mais ética. Demonstrou também que uma vigilância maciça seguindo a abordagem orwelliana de "o Big Brother está observando" não é necessária e que indicações bem mais sutis de estar sendo observado podem ser eficazes em aumentar a honestidade.

Talvez um cartaz de advertência contendo a imagem de olhos observadores na parede da sala do chefe de Jennifer pudesse ter feito diferença em seu comportamento. Quem sabe?

Ao refletir sobre a situação de Jennifer, Francesca Gino, Shahar Ayal e eu começamos a indagar como a desonestidade funciona em ambientes colaborativos. Será que o monitoramento ajuda a reduzir a trapaça? As conexões sociais nos grupos aumentam não só o altruísmo, mas também a desonestidade? E, se essas duas forças exercem sua influência em direções opostas, qual das duas é mais poderosa?

Querendo lançar uma luz sobre essa questão, recorremos outra vez ao nosso querido experimento da matriz. Incluímos a condição de controle básica (em que não era possível trapacear), a condição da fragmentadora de papel (em que trapacear era possível) e acrescentamos uma condição nova que introduziu um elemento colaborativo.

Em nosso primeiro passo para explorar os efeitos dos grupos, não queríamos que os colaboradores tivessem a oportunidade de discutir sua estratégia nem se tornar amigos. Assim, criamos uma condição colaborativa que não incluía qualquer familiaridade ou ligação entre os dois membros da equipe. Nós a chamamos de condição de grupo distante. Digamos que você é um dos participantes na condição de grupo distante. Como na condição da fragmentadora normal, você se senta a uma mesa e usa um lápis para resolver as matrizes por cinco minutos. Esgotado o tempo, vai até a fragmentadora e destrói sua folha de exercícios.

Até esse ponto, o procedimento se assemelha à condição básica da fragmentadora de papel, mas agora introduzimos o elemento colaborativo. O pesquisador informa que você faz parte de uma equipe de duas pessoas e que cada uma receberá metade do rendimento total do grupo. Ele indica que sua notinha de cobrança é azul ou verde, com um número impresso no canto superior direito. Em seguida pede a você que percorra a sala e ache a pessoa cuja notinha tem uma cor diferente mas o mesmo número no canto superior direito. Quando encontra seu parceiro, vocês se sentam juntos e cada um anota o número de matrizes que acertou na respectiva notinha. Depois escreve o resultado da outra pessoa no mesmo papel. E finalmente somam os números para obter o desempenho total. Feito isso, vocês se dirigem juntos ao pesquisador e entregam as duas notinhas de cobrança.

Como suas folhas de exercícios foram fragmentadas, o pesquisador não tem como conferir a validade dos rendimentos informados. Assim, acredita na sua palavra e paga de acordo com ela, e vocês dividem o rendimento.

Você acha que pessoas nessa situação trapaceariam mais do que na condição da fragmentadora individual? Eis o que constatamos: quando os participantes souberam que tanto eles mesmos quanto a outra pessoa da equipe se beneficiariam de sua desonestidade se exagerassem os resultados, acabaram se envolvendo em níveis ainda mais altos de fraude, afirmando ter acertado três matrizes a mais do que quando fraudavam sozinhos. Esse resultado indica uma quedinha dos seres humanos pela trapaça altruísta, mesmo mal conhecendo a pessoa que se beneficiaria do ato de desonestidade. Infelizmente, parece que até o altruísmo pode ter um lado sombrio.

Essa é a má notícia, e não é tudo.

Tendo estabelecido um aspecto negativo da colaboração – que as pessoas são mais desonestas quando outras, mesmo desconhecidas, podem se beneficiar de seu ato trapaceiro –, queríamos voltar nossas visões experimentais para um possível aspecto positivo da colaboração e ver o que ocorreria quando membros da equipe observam um ao outro.

Imagine que você está numa sala com alguns outros participantes e vai formar uma dupla com alguém desconhecido. Por sorte, sua parceira é uma jovem que parece muito simpática. Antes de ter a chance de falar com ela, vocês precisam completar o teste da matriz em completo silêncio. Você é o participante nº 1, portanto começa primeiro. Enfrenta a primeira matriz, depois a segunda e em seguida a terceira. Enquanto isso, sua parceira observa suas tentativas, seus sucessos e fracassos. Decorridos os cinco minutos, você silenciosamente larga seu lápis e sua parceira pega o dela. Ela começa a solucionar o teste da matriz, enquanto você a observa. Esgotado o tempo, vocês vão até a fragmentadora juntos e destroem suas folhas de exercícios. Depois cada um anota o próprio resultado na mesma folha de papel, vocês somam os dois números para obter a nota conjunta, vão até a mesa do pesquisador e pegam o pagamento – tudo isso sem se falarem.

Qual foi o nível de desonestidade encontrado? Nenhum. Apesar da inclinação geral à fraude que observamos repetidas vezes e apesar do aumento da propensão a trapacear quando outros podem se beneficiar de tais ações, ser supervisionado de perto eliminou por completo a trapaça.

Até então, nossos experimentos sobre a desonestidade em grupo mostraram duas forças em ação: tendências altruístas levam as pessoas a trapacear mais, mas a supervisão direta pode reduzir a desonestidade ou até eliminá-la por completo. Qual força tem mais chance de superar a outra?

Para responder a essa questão, precisávamos criar um contexto experimental que fosse mais representativo de como membros de grupos interagem em um ambiente normal no dia a dia. Você deve ter observado que, nos dois primeiros experimentos, nossos participantes não interagiram realmente entre si, ao passo que no cotidiano as discussões em grupo e os bate-papos amistosos são partes intrínsecas das colaborações. Esperando acrescentar esse elemento social importante ao nosso ambiente, concebemos nosso próximo experimento. Dessa vez os participantes foram encorajados a conversar entre si, a se conhecerem melhor e se tornarem mais próximos. Depois eles se revezariam monitorando um ao outro enquanto cada um deles solucionava as matrizes.

Infelizmente, constatamos que a desonestidade se manifestou quando acrescentamos esse elemento social. Quando ambos os elementos se combinaram, os participantes informaram ter acertado cerca de quatro matrizes extras. Assim, considerando que o altruísmo pode aumentar a trapaça e a supervisão direta pode reduzi-la, a desonestidade altruísta supera o efeito supervisor quando as pessoas se reúnem num ambiente onde têm a chance de socializar e ser observadas.

RELACIONAMENTOS DE LONGO PRAZO

A maioria de nós acha que quanto mais longo o relacionamento com nossos médicos, contadores, assessores financeiros, advogados, etc., maiores as chances de que cuidarão com mais afinco de nosso bem-estar e, em consequência, tenderão a pôr nossas necessidades na frente. Por exemplo, imagine que você acaba de receber um diagnóstico (não terminal) de seu médico e agora está diante de duas opções de tratamento. Uma é começar uma terapia agressiva e cara; a outra é esperar e ver como seu corpo lida com o problema e como a doença vai progredir. Não existe uma resposta definitiva para qual opção é melhor para você, mas está claro que a opção cara e agressiva é melhor para o bolso do seu médico.

Agora, imagine que seu médico informa que você deveria escolher a opção de tratamento agressiva e que deve iniciá-la na próxima semana no máximo. Você confiaria no seu conselho? Ou levaria em conta o que conhece sobre conflitos de interesses, desconsideraria sua sugestão e talvez buscasse uma segunda opinião? Diante desses dilemas, a maioria das pessoas confia em seus prestadores de serviços em altíssimo grau e, quanto mais tempo se conhecem, mais tendem a confiar neles. Afinal, se já conhecemos nossos conselheiros há tantos anos, não seria de esperar que começassem a cuidar mais de nós e que vissem os fatos de nossa perspectiva, dando-nos os melhores conselhos?

Outra possibilidade, porém, é que, com o desenvolvimento do relacionamento, nossos conselheiros pagos se sintam mais à vontade – intencionalmente ou não – para recomendar tratamentos que não representam nossos melhores interesses. Janet Schwartz (a professora de Tulane que, junto comigo, aproveitou o jantar com os representantes farmacêuticos), Mary Frances Luce (professora da Universidade Duke) e eu abordamos essa dúvida, sinceramente esperando que, com o aprofundamento da relação entre clientes e prestadores de serviços, os profissionais colocariam o bem-estar dos clientes em primeiro lugar. O que descobrimos, porém, foi o oposto.

Examinamos essa questão analisando dados de milhões de procedimentos odontológicos por 12 anos. Estudamos casos em que pacientes receberam obturações feitas de amálgama de prata ou resina branca. Veja bem, obturações de prata duram mais, custam menos e são mais resistentes. Obturações brancas, por sua vez, são mais caras e quebram mais facilmente, mas são esteticamente mais agradáveis. Assim, quando se trata dos dentes da frente, a estética vence a praticidade, tornando as obturações brancas a opção preferida. Mas, quando se trata de nossos dentes de trás, menos visíveis, as obturações de prata são recomendáveis.[3]

O que constatamos foi que cerca de um quarto de todos os pacientes recebe obturações brancas atraentes e caras em seus dentes ocultos em vez das obturações de prata funcionalmente superiores. Nesses casos, seria mais provável que os dentistas estivessem tomando decisões favorecendo os próprios interesses (maior pagamento inicial e reparos mais frequentes) em detrimento dos interesses dos pacientes (custo menor e tratamento mais duradouro).

Como se isso não bastasse, descobrimos também que quanto mais tempo faz que o paciente vai ao mesmo dentista, mais pronunciada é essa tendência (achamos o mesmo padrão de resultados para outros procedimentos também). O que isso indica é que, conforme ficam mais à vontade com seus pacientes, os dentistas recomendam mais frequentemente procedimentos que são do seu próprio interesse financeiro. E pacientes de longo prazo, por sua vez, são mais propensos a aceitar o conselho do dentista, graças à confiança gerada pelo relacionamento dos dois.*

Moral da história: é claro que existem muitos benefícios na continuidade dos cuidados e em relacionamentos duradouros entre pacientes e prestadores de serviços. Ao mesmo tempo, porém, precisamos estar bem atentos aos custos desses relacionamentos de longo prazo.

---

* Os dentistas fazem isso de propósito e os pacientes sabem que estão sendo punidos por sua fidelidade? O mais é provável é que essa atitude não seja intencional, mas, conscientemente ou não, o problema persiste.

Figura 4: Lições sobre a desonestidade colaborativa

Quando estamos interagindo com um parceiro desconhecido que possa se beneficiar de nossa desonestidade, nossa tendência a trapacear é maior do que se o benefício fosse apenas para nós mesmos.

Se estamos interagindo com um monitor que não conversa conosco, nossa tendência é não trapacear.

Se estamos interagindo com um monitor com quem conversamos e de quem nos tornamos mais próximos, a tendência a trapacear é maior do que se o benefício fosse para uma pessoa que não conhecemos tão bem.

Em última análise, parece que os aspectos sociais da desonestidade são tão poderosos que conseguem superar os efeitos benéficos do monitoramento.

Mas espere, tem mais! Em nossos experimentos iniciais, tanto o trapaceiro quanto o parceiro se beneficiaram de cada exagero adicional em seus resultados. Assim, se você fosse o trapaceiro no experimento e informasse uma resposta certa a mais, receberia metade do pagamento adicional e o parceiro receberia o mesmo. Isso com certeza é financeiramente menos recompensador que arrebatar a quantia total para si, mas você ainda se beneficiaria em certo grau do seu exagero.

Para examinar a desonestidade puramente altruísta, introduzimos uma condição em que o fruto da trapaça de cada participante beneficiaria *apenas* seu parceiro. O que descobrimos? Ao que se revela, o altruísmo é de fato um forte motivador da trapaça. Quando ela se deveu a razões puramente altruístas e os próprios trapaceiros nada ganharam com seus atos, o exagero nos resultados aumentou ainda mais.

Por que isso acontece? Acredito que, quando tanto nós mesmos quanto outra pessoa nos beneficiamos de nossa desonestidade, agimos por uma mescla de motivações egoístas e altruístas. Em contraste, quando outras pessoas (e somente outras pessoas) se beneficiam de nossa desonestidade, achamos bem mais fácil racionalizar nossa má conduta em termos puramente altruístas e depois relaxamos ainda mais nossas inibições morais. Afinal, se estamos fazendo algo em puro benefício dos outros, não somos um pouco como Robin Hood?*

Finalmente, vale a pena dizer algo mais explícito sobre o desempenho nas muitas condições de controle que tivemos nesse conjunto de experimentos. Para cada condição de trapaça (fragmentadora individual, fragmentadora com grupo, fragmentadora com grupo distante, fragmentadora com grupo amigável, fragmentadora com pagamento altruísta), também tivemos uma condição de controle sem oportunidade de trapacear (ou seja, sem fragmentadora de papel). Olhar através dessas várias condições de controle diferentes permitiu que examinássemos se a natureza da colaboração influenciava o nível de desempenho. Constatamos que o desempenho foi o mesmo em todas as condições de controle. Nossa conclusão? Parece que o desempenho não melhora necessariamente quando as pessoas trabalham em grupo – ao menos não tanto quanto fomos levados a acreditar.

Certamente não podemos sobreviver sem a ajuda dos outros. O trabalho conjunto é um elemento crucial de nossas vidas. Mas está claro que a colaboração é uma faca de dois gumes. Por um lado, ela aumenta a satisfação, a lealdade e a motivação. Por outro, traz consigo um potencial de desonestidade maior. No final – infelizmente –, pode ser que as pessoas que mais se importam com os colegas de trabalho acabem trapaceando mais. É óbvio que não estou defendendo que paremos de trabalhar em grupo, de colaborar ou de nos importar com os outros. Mas precisamos reconhecer os custos potenciais da colaboração e da maior afinidade.

---

* Com base nesses resultados, poderíamos especular que pessoas que trabalham para instituições ideológicas como grupos políticos e organizações sem fins lucrativos poderiam realmente se sentir mais confortáveis distorcendo as regras morais – porque o fariam por uma boa causa e para ajudar os outros.

A ironia do trabalho colaborativo

Se a colaboração aumenta a desonestidade, que providências podemos tomar? Uma resposta óbvia é aumentar o monitoramento. De fato, essa parece ser a reação-padrão das agências reguladoras do governo a cada caso de desvio de conduta corporativo. Por exemplo, o fiasco da Enron fez surgir um grande conjunto de exigências de relatórios conhecido como Lei Sarbanes-Oxley e a crise financeira de 2008 abriu caminho para um conjunto ainda maior de regulamentos (emergindo em grande parte da Reforma Dodd-Frank de Wall Street e da Lei de Proteção do Consumidor), concebidos para regulamentar e aumentar a supervisão sobre o setor financeiro.

Até certo ponto, não há dúvida de que o monitoramento pode ser útil, mas nossos resultados também deixam claro que maior monitoramento sozinho dificilmente superará por completo nossa capacidade de justificar nossa desonestidade – em particular quando outras pessoas saem ganhando com nossa má conduta (sem falar nos altos custos financeiros do cumprimento desses regulamentos).

Em alguns casos, em vez de acrescentar camadas e mais camadas de regras e regulamentos, talvez pudéssemos voltar nosso foco à mudança da natureza da colaboração em grupo. Uma solução interessante para esse problema foi recentemente implementada em um grande banco internacional por um ex-aluno meu chamado Gino. Para que sua equipe de analistas de crédito trabalhasse em conjunto sem o risco de aumento da desonestidade (por exemplo, registrando valores de empréstimos maiores na tentativa de exibir lucros de curto prazo maiores), ele criou um sistema de supervisão singular. Informou aos seus analistas de crédito que um grupo externo conferiria o processamento e a aprovação de pedidos de empréstimos. O grupo externo estava socialmente desvinculado da equipe de concessão de empréstimos e não tinha nenhuma lealdade aos analistas nem motivação para ajudá-los. Para se certificar de que os dois grupos estivessem afastados, Gino os situou em prédios comerciais diferentes. E assegurou que não tivessem interações diretas ou mesmo conhecessem os indivíduos do outro grupo.

Tentei obter os dados de Gino para avaliar o sucesso de sua abordagem, mas os advogados desse banco de grande porte nos impediram. Assim, não sei se funcionou nem como seus funcionários se sentiram com esse sistema, mas suspeito que o mecanismo teve ao menos algum resultado positivo. Possivelmente reduziu a diversão do grupo de concessão de empréstimos durante suas reuniões. É provável que também tenha aumentado a tensão em torno das decisões do grupo, e não deve ter sido barato implementá-lo. Mesmo assim, Gino me contou que, no todo, acrescentar o elemento de monitoramento objetivo e anônimo pareceu ter um efeito positivo sobre a ética, a moral e o resultado financeiro.

Claramente não existe uma solução milagrosa para o problema complexo da desonestidade em ambientes de grupo. Em seu conjunto, creio que nossas descobertas têm sérias implicações para organizações, especialmente considerando a predominância do trabalho colaborativo em nossa vida profissional cotidiana. Também não há dúvida de que compreender melhor o grau e a complexidade da desonestidade em contextos sociais é um tanto desanimador. Ainda assim, ao entender as possíveis armadilhas envolvidas na colaboração, podemos tomar algumas providências para corrigir comportamentos desonestos.

10

UM FINAL SEMIOTIMISTA

As pessoas não trapaceiam tanto quanto poderiam

Ao longo deste livro vimos que a honestidade e a desonestidade se baseiam numa combinação de dois tipos de motivação bem diferentes. Por um lado, queremos nos beneficiar da desonestidade (a motivação econômica racional); por outro, queremos ser capazes de nos ver como seres humanos maravilhosos (a motivação psicológica).

Talvez você ache que não conseguimos alcançar os dois objetivos ao mesmo tempo – que não podemos ter o melhor dos dois mundos, por assim dizer –, mas a teoria da margem de manobra desenvolvida nestas páginas mostra que nossa capacidade de raciocínio flexível e de racionalização permite, sim. Basicamente, se trapaceamos só um pouquinho, conseguimos colher alguns dos benefícios da desonestidade enquanto preservamos a imagem positiva que temos de nós mesmos.

Como vimos, certas forças – como a quantidade de dinheiro que podemos ganhar e a probabilidade de sermos pegos – influenciam os seres humanos surpreendentemente menos do que poderíamos imaginar. E, ao mesmo tempo, outras forças nos influenciam mais do que esperávamos: lembretes morais, distância em relação ao dinheiro, conflitos de interesses, esgotamento, falsificações, lembretes de nossas realizações forjadas, criatividade, testemunhar atos desonestos, importar-se com os colegas de equipe e assim por diante.

* * *

Embora o foco dos vários experimentos apresentados aqui fosse a desonestidade, também é importante lembrar que a maioria dos participantes de nossos experimentos era formada por pessoas legais, de boas universidades, que provavelmente obterão cargos de algum poder e influência na vida. Não eram o tipo de gente que costumamos associar à desonestidade. Na verdade, eram exatamente como você, eu e a maioria das pessoas neste planeta, o que significa que todos nós somos perfeitamente capazes de trapacear um pouquinho.

Embora isso possa soar pessimista, o outro lado da moeda é que os seres humanos são, de modo geral, mais éticos do que prevê a teoria econômica padrão. Na verdade, vistos de uma perspectiva puramente racional (SMORC), não trapaceamos tanto quanto poderíamos.

Considere quantas vezes nos últimos dias você teve a oportunidade de cometer um ato desonesto sem ser pego. Talvez uma colega tenha deixado a bolsa sobre a mesa quando saiu para uma reunião longa. Ou um estranho numa cafeteria tenha pedido a você que olhasse seu notebook enquanto ia ao banheiro. Pode ser que o caixa do mercado não tenha cobrado por um produto no seu carrinho ou que você tenha passado por uma bicicleta sem cadeado numa rua deserta.

Em qualquer dessas situações, pelo Modelo Simples do Crime Racional, o certo seria você pegar o dinheiro, o notebook ou a bicicleta, sem falar no produto do mercado. No entanto, perdemos a grande maioria dessas oportunidades diariamente sem achar que deveríamos aproveitá-las – o que significa um bom começo em nossos esforços por melhorar nossa integridade moral.

E quanto aos "verdadeiros" criminosos?

Em todos os nossos experimentos, testamos milhares de pessoas e, de tempos em tempos, vimos alguns trapaceiros agressivos que arrebatavam o máximo de dinheiro que podiam. No experimento da matriz, por exemplo, nunca ninguém alegou ter acertado 18 ou 19 das 20 matrizes. Mas, vez por outra, um participante afirmava ter acertado todas as 20. Essas são as pessoas que, tendo feito uma análise de custo-benefício, decidiram se dar bem com o máximo de dinheiro possível. Felizmente não encontramos muitas assim, e, como pareciam ser a exceção e não a regra, nosso prejuízo com elas foi de apenas umas poucas centenas de dólares. Ao mesmo tempo, tivemos milhares e milhares de participantes que trapacearam por "apenas" umas poucas matrizes, mas que, por serem em grande número, nos fizeram perder milhares e milhares de dólares para eles – bem mais do que o prejuízo com trapaceiros agressivos.

Com base em minhas perdas financeiras para os trapaceiros agressivos e para os pequenos, suponho que nossos experimentos sejam um indicador da desonestidade da sociedade como um todo. Pouquíssimas pessoas roubam no grau máximo. Mas muita gente boa trapaceia só um pouco aqui e ali, arredondando suas horas faturáveis, declarando perdas maiores em seus pedidos de indenização de seguro, recomendando tratamentos desnecessários e por aí vai.

As organizações também encontram muitas formas de trapacear um pouquinho. Pense nas empresas de cartões de crédito que aumentam as taxas de juros ligeiramente sem motivo aparente e inventam várias tarifas e penalidades ocultas (que costumam ser chamadas, dentro das empresas, de "aprimoramentos da receita"). Pense nos bancos que retardam o processamento de cheques para poder manter nosso dinheiro por um ou dois dias a mais ou que cobram taxas exorbitantes pelo uso do cheque especial e dos caixas eletrônicos.

Tudo isso significa que, embora seja importante ficar atento à desonestidade mais chamativa, provavelmente é ainda mais importante desencorajar as formas pequenas e mais corriqueiras de desonestidade – os desvios de conduta que nos afetam na maioria do tempo, tanto como perpetradores quanto como vítimas.

Uma palavra sobre diferenças culturais

Eu viajo muito, o que significa que acabo conhecendo pessoas do mundo inteiro. Costumo indagar a elas sobre a honestidade e a moralidade em seus países. Dessa forma, estou começando a entender como as diferenças culturais – sejam regionais, nacionais ou corporativas – contribuem para a desonestidade.

Se você cresceu fora dos Estados Unidos, pense nisto por um minuto: os indivíduos em seu país natal trapaceiam mais ou menos que os americanos? Após fazer essa pergunta a muitas pessoas de vários lugares, descobri que elas têm crenças muito fortes sobre a desonestidade em seu país e a maioria acredita que seus compatriotas trapaceiam mais que os americanos (com a exceção previsível do Canadá e dos países nórdicos).

Mantendo em mente que são apenas impressões subjetivas, fiquei curioso por saber se haveria um fundo de verdade nisso. Assim, decidi testar algumas daquelas percepções culturais mais diretamente. De modo a explorar as diferenças culturais, primeiro tivemos que descobrir um meio de equiparar os incentivos financeiros nos diferentes locais. Se sempre pagamos, por exemplo, o equivalente a um dólar por uma resposta correta, em alguns lugares essa quantia seria um pagamento bem alto e, em outros, um valor um tanto baixo. Nossa primeira ideia de como equiparar o tamanho dos incentivos foi usar um produto que fosse internacionalmente reconhecido, como um hambúrguer do McDonald's. Seguindo essa abordagem, para cada matriz acertada os participantes poderiam receber um quarto do preço do hambúrguer do McDonald's naquele local. (Essa abordagem pressupunha que os preços são definidos no McDonald's levando em conta o poder de compra econômico em cada local.)

Acabamos decidindo por uma abordagem semelhante e usamos o "índice da cerveja". Instalamo-nos em bares locais e pagamos aos participantes um quarto do preço de uma caneca de chope para cada matriz que afirmassem ter resolvido. (Para assegurar a sobriedade de nossos participantes, só abordamos fregueses que estivessem entrando no bar.)

Como cresci em Israel, eu queria ver especialmente como se sairiam os israelenses (admito que suspeitava que eles trapaceassem mais que os americanos). Mas descobrimos que nossos participantes israelenses trapacearam nos experimentos da matriz tanto quanto os americanos.

Decidimos checar outras nacionalidades também. Shirley Wang, uma de minhas colaboradoras chinesas, estava certa de que o povo chinês trapacearia mais que o americano. No entanto, mais uma vez, os chineses exibiram os mesmos níveis de desonestidade. Francesca Gino, da Itália, tinha certeza de que os italianos seriam os maiores trapaceiros. "Venha à Itália e vamos mostrar o que é trapaça", disse ela com seu fantástico sotaque. Mas provamos que ela também estava errada. Obtivemos os mesmos resultados na Turquia, no Canadá e na Inglaterra. Na verdade, o grau de desonestidade parece ser igual em todos os países – ao menos naqueles que testamos até agora.

Como conciliar o fato de nossos experimentos não mostrarem quaisquer diferenças reais de desonestidade entre diferentes países e culturas com a convicção pessoal forte de que indivíduos de diferentes países trapaceiam em diferentes graus? E como conciliar a ausência de distinções em nossos resultados com as claras diferenças nos níveis de corrupção entre países, culturas e continentes? Creio que ambas as perspectivas estão corretas. Nossos dados refletem um aspecto importante e real da desonestidade, mas as diferenças culturais também refletem. Eis o porquê.

Nosso teste da matriz existe fora de qualquer contexto cultural. Ou seja, não é parte intrínseca de algum ambiente social ou cultural. Portanto, ele testa a capacidade humana básica de ser moralmente flexível e reenquadrar situações e ações de modo que se reflitam de forma positiva em nós mesmos. Nossas atividades diárias, por outro lado, estão emaranhadas num contexto cultural complexo. Este pode influenciar a desonestidade de duas maneiras principais: pegando atividades específicas e colocando-as ou tirando-as do domínio moral; e mudando a magnitude da margem de manobra considerada aceitável para qualquer domínio específico.

Tomemos o plágio, por exemplo. Nas universidades americanas, o plágio é levado muito a sério, mas em outras culturas é visto como uma espécie de jogo de pôquer entre os estudantes e o corpo docente. Nessas culturas, ser descoberto, e não o ato da trapaça em si, é visto negativamente. De maneira similar, em algumas sociedades, diferentes tipos de desonestidade – sonegar impostos, ter um caso amoroso, fazer download ilegal de software e avançar o sinal quando a rua está vazia – são tolerados, ao passo que em outras sociedades essas mesmas atividades são vistas como neutras ou conferem até mesmo motivos para se vangloriar.

É claro que há bem mais a aprender acerca da influência da cultura sobre a desonestidade, tanto em termos das influências societais que ajudam a refreá-la como em termos das forças sociais que tornam mais prováveis a desonestidade e a corrupção.

P.S.: Devo observar que, em nossos experimentos interculturais, houve uma vez que achamos uma diferença. A certa altura, Racheli Barkan e eu realizamos nosso experimento num bar em Washington, D. C., onde muita gente do Congresso se reúne. E realizamos o mesmo experimento num bar em Nova York frequentado por muitos profissionais do mercado financeiro. Achamos uma diferença cultural em um único lugar. Quem você acha que trapaceou mais: os políticos ou os investidores de Wall Street?

Eu estava certo de que seriam os políticos, mas nossos resultados mostraram o contrário: os operadores do mercado financeiro trapacearam cerca de duas vezes mais. (Mas, antes que você passe a suspeitar mais dos seus amigos do mercado financeiro e menos dos seus amigos políticos, deve levar em conta que os políticos que testamos eram principiantes – na maior parte, funcionários do Congresso. Assim, tinham bastante margem para crescimento e desenvolvimento.)

TRAPAÇA E INFIDELIDADE

Nenhum livro sobre desonestidade estaria completo sem falar sobre adultério e os tipos de subterfúgio complexos e intricados que os relacionamentos extraconjugais inspiram.

De fato, a infidelidade pode ser considerada uma das principais fontes do entretenimento mais dramático do mundo. Se pessoas como Liz Taylor, príncipe Charles, Tiger Woods, Brad Pitt, Eliot Spitzer, Arnold Schwarzenegger e muitos outros famosos não tivessem traído seus cônjuges, as revistas e os sites de fofocas provavelmente iriam à falência.

No que tange à teoria da margem de manobra, a infidelidade parece ilustrar todas as características da desonestidade que viemos abordando. Para início de conversa, é o exemplo típico (ou ao menos um deles) de um comportamento que não resulta de uma análise de custo-benefício. Também desconfio que a propensão para a infidelidade depende em alto grau de sermos capazes de justificá-la para nós mesmos.

Começar por uma ação pequena (talvez um beijo) é outra força que pode levar a tipos de envolvimento mais profundos com o tempo. Estar afastado da rotina normal do dia a dia – em uma viagem ou um set de filmagem, por exemplo, onde as regras sociais são menos claras – pode aumentar ainda mais a capacidade de autojustificar a infidelidade. E pessoas criativas, como artistas e políticos – todos conhecidos pela inclinação para a infidelidade –, costumam ser mais hábeis em forjar histórias sobre por que é certo, ou mesmo desejável, comportar-se dessa maneira. Além do mais, como outros tipos de desonestidade, a infidelidade é influenciada pelas ações daqueles à nossa volta. Alguém com muitos amigos e familiares que tiveram casos amorosos tende a ser influenciado por essa exposição.

Com todas essas nuances, complexidade e importância social, você deve estar se perguntando por que não existe um capítulo neste livro sobre infidelidade e por que esse tema fascinante é relegado a uma pequena seção. O problema está nos dados. Geralmente gosto de me ater a conclusões que possa extrair de experimentos e evidências. Realizar experimentos sobre infidelidade seria quase impossível, e os dados, por sua natureza, são difíceis de avaliar. Isso significa que, por ora, resta-nos especular – e somente especular – sobre a infidelidade.

O que devemos fazer afinal?

Como vimos, todos somos capazes de trapacear e somos exímios em contar a nós mesmos histórias sobre por que, ao fazê-lo, não somos desonestos nem imorais. Ainda pior, somos propensos a "contrair" o vírus da desonestidade de outras pessoas e, uma vez que comecemos a agir de maneira desonesta, tendemos a continuar nos comportando assim.

Então o que deveríamos fazer em relação à desonestidade? Em 2008 passamos por uma tremenda crise financeira, que forneceu uma oportunidade excelente de examinar as falhas humanas e o papel da irracionalidade em nossa vida e na sociedade como um todo. Em reação a esse desastre provocado pelo homem, demos alguns passos para nos reconciliarmos com algumas de nossas tendências irracionais e começamos a reavaliar nossa

Figura 5: Um resumo das forças que configuram a desonestidade

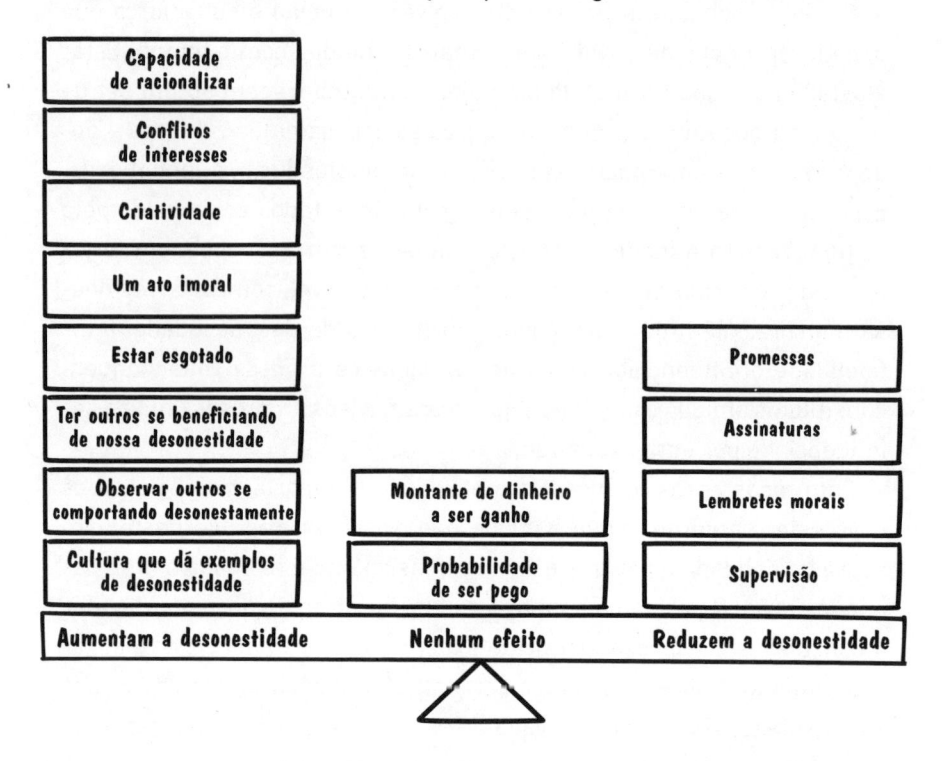

Aumentam a desonestidade	Nenhum efeito	Reduzem a desonestidade
Capacidade de racionalizar		
Conflitos de interesses		
Criatividade		
Um ato imoral		
Estar esgotado		Promessas
Ter outros se beneficiando de nossa desonestidade		Assinaturas
Observar outros se comportando desonestamente	Montante de dinheiro a ser ganho	Lembretes morais
Cultura que dá exemplos de desonestidade	Probabilidade de ser pego	Supervisão

abordagem dos mercados nesse sentido. O templo da racionalidade foi abalado, e com nossa compreensão aprimorada da irracionalidade deveríamos ser capazes de repensar e reinventar novas estruturas que acabarão nos ajudando a evitar crises como essa no futuro. Se não fizermos isso, terá sido uma crise desperdiçada.

Dito isso, nossa próxima tarefa é tentar descobrir meios mais eficazes e práticos de combater a desonestidade. As escolas de negócios incluem cadeiras de ética em seus currículos, as empresas fazem seus funcionários assistir a seminários sobre o código de conduta e governos têm políticas de transparência.

Qualquer observador casual do estado de desonestidade no mundo rapidamente perceberá que tais medidas não dão conta do recado. E as pesquisas aqui apresentadas indicam que essas abordagens paliativas estão fadadas ao fracasso pela simples razão de que não levam em conta a psicologia da desonestidade. Afinal, cada vez que se criam políticas e procedimentos

> **MEMENTO MORI**
>
> Existem muitas associações possíveis que podemos fazer entre os tempos romanos e os bancos modernos, mas talvez a mais importante seja *memento mori*. No auge do poderio romano, os generais que obtinham vitórias importantes desfilavam no meio da cidade ostentando seus butins. Eles trajavam mantos cerimoniais, uma coroa de louros e tinta vermelha no rosto ao serem carregados pelas ruas sobre uma biga. Eram aclamados, celebrados e admirados.
>
> Havia, no entanto, mais um elemento na cerimônia: ao longo do desfile, um escravo caminhava ao lado do general e, para impedir que o militar vitorioso cedesse ao orgulho arrogante, o escravo sussurrava repetidamente em seus ouvidos *"Memento mori"*, que significa "Lembre-se da sua mortalidade".
>
> Se eu fosse encarregado de desenvolver uma versão moderna da frase, provavelmente escolheria "Lembre-se da sua falibilidade" ou talvez "Lembre-se da sua irracionalidade". Qualquer que seja a frase, reconhecer nossas deficiências constitui um primeiro passo crucial no caminho para tomar decisões mais acertadas, criar sociedades melhores e corrigir nossas instituições.

para impedir a trapaça, elas visam a certo conjunto de comportamentos e motivações que precisam mudar. E, quando se realizam intervenções, estas presumem que o Modelo Simples do Crime Racional está em ação. Mas, como vimos, esse modelo simples pouco tem a ver com as forças por trás da desonestidade.

Se estamos mesmo interessados em conter a trapaça, quais intervenções deveríamos experimentar? Espero que esteja claro agora que, se quisermos ter uma chance de refrear a desonestidade, precisamos, antes de tudo, começar entendendo *por que* as pessoas se comportam de maneira desonesta. Com esse ponto de partida, podemos propor soluções mais eficazes.

Por exemplo, com base em nosso conhecimento de que as pessoas em geral querem ser honestas mas também são tentadas a obter benefícios com a desonestidade, poderíamos recomendar lembretes no momento da tentação, os quais, como vimos, têm uma eficácia surpreendente. De forma semelhante, entender como os conflitos de interesses funcionam e quão profundamente nos influenciam deixa claro que precisamos evitá-los e controlá-los em um grau bem maior. Também devemos considerar os efeitos que o ambiente, bem como o esgotamento mental e físico, desempenha na desonestidade. E, é claro, uma vez que entendamos a capacidade de contágio social da desonestidade, poderíamos nos basear na teoria das janelas quebradas para combater esse contágio, como vimos na página 169.

O interessante é que já dispomos de muitos mecanismos sociais que parecem projetados especificamente para restaurar nossa bússola moral e superar o efeito "Que se dane". Esses rituais de restauração – variando da confissão católica ao Yom Kippur judaico e do ramadã ao sabá semanal – fornecem oportunidades de nos recolhermos, determos a deterioração e virarmos a página. (Para os não religiosos, pense nas resoluções de ano-novo, nos aniversários, nas mudanças de emprego e nos rompimentos amorosos como oportunidades de "restauração".) Recentemente iniciamos experimentos básicos sobre a eficácia desses tipos de abordagem de restauração (usando uma versão não religiosa da confissão católica) e até agora parece que conseguem reverter com sucesso o efeito "Que se dane".

Da perspectiva da ciência social, a religião evoluiu de formas que podem ajudar a sociedade a neutralizar tendências potencialmente destrutivas, incluindo a da desonestidade. A religião e os rituais religiosos fazem as pessoas se recordarem de seu compromisso com a ética de várias formas. Lembre-se, por exemplo, do homem judeu com as franjas do seu *talit* citado no Capítulo 2. Os muçulmanos usam contas chamadas *tasbih* ou *misbaha* para enumerar os 99 nomes de Deus várias vezes por dia. Existem também a prece diária e a prece confessional ("Perdoa-me, Pai, porque pequei"), a prática do *prayaschitta* no hinduísmo e o sem-número de outros lembretes religiosos com o mesmo efeito que tiveram os Dez Mandamentos em nossos experimentos.

Na medida em que essas abordagens são úteis, poderíamos pensar em criar mecanismos semelhantes (porém não religiosos) nos negócios e na política. Talvez fosse interessante exigir que funcionários públicos e executivos fizessem um juramento, adotassem um código de ética ou até pedissem perdão ocasionalmente. Essas versões seculares do arrependimento e do pedido de perdão ajudariam os trapaceiros potenciais a prestar atenção nas próprias ações, virar a página e, com isso, aumentar sua observância moral.

Uma das formas mais intrigantes de cerimônia de restauração são os rituais de purificação que certas seitas religiosas praticam. Na Opus Dei, por exemplo, que é uma sociedade católica secreta, seus membros se flagelam com chicotes. Não lembro exatamente como começamos a discutir a Opus Dei, mas, em algum momento, Yoel Inbar (professor da Universidade de Tilburg), David Pizarro, Tom Gilovich (ambos da Universidade Cornell) e eu ficamos curiosos por saber se a autoflagelação e comportamentos similares captam um desejo humano básico de autopurificação. A sensação de ter feito algo errado pode ser apagada pela autopunição? A dor autoinfligida pode nos ajudar a pedir perdão e começar de novo?

Seguindo a abordagem fisicamente dolorosa da Opus Dei, decidimos realizar um experimento usando uma versão mais moderna e menos brutal dos chicotes – de modo que escolhemos choques elétricos ligeiramente dolorosos como nosso material experimental. Depois que os participantes chegaram ao laboratório da Universidade Cornell, pedimos a alguns deles que escrevessem sobre uma experiência passada pela qual se sentiram culpados. Pedimos a outros participantes que escrevessem sobre uma experiência passada que os fez se sentirem tristes (uma emoção negativa, mas não relacionada à culpa). E a um terceiro grupo pedimos que escrevessem sobre uma experiência em que não se sentiram nem bem nem mal. Depois de refletirem sobre um desses três tipos de experimento, solicitamos aos participantes que participassem de "outro" experimento envolvendo choques elétricos autoinfligidos.

Nessa fase seguinte do experimento, conectamos o pulso do participante a uma máquina geradora de choques. Uma vez estabelecida a conexão, mostramos aos participantes como regular o nível do choque elétrico e qual botão pressionar para se infligirem um choque doloroso. Regulamos a máquina no menor nível de choque possível e pedimos aos participantes que pressionassem o botão, aumentassem o nível do choque, voltassem a pressionar o botão, aumentassem de novo o choque e assim por diante, até não conseguirem mais aguentar a intensidade da dor.

Na verdade, não somos tão sádicos como pode parecer, mas queríamos ver até onde os participantes conseguiriam avançar na escala da dor e até onde seu nível de dor autoinfligida dependeria da condição experimental. Mais importante, queríamos ver se lembrar uma experiência passada ligada à culpa levaria nossos participantes a se purificar buscando mais dor. O que constatamos?

Nas condições neutra e de tristeza, o grau de dor autoinfligida foi semelhante e bem baixo, indicando que emoções negativas por si sós não criam um desejo de causar dor em si mesmo. No entanto, aqueles na condição de culpa estiveram bem mais dispostos a se infligir choques mais intensos.

Os resultados sugerem que a purificação pela dor da autoflagelação poderia mobilizar uma forma básica de lidar com os sentimentos de culpa. Talvez reconhecer nossos erros, admiti-los e acrescentar alguma forma de punição física seja uma boa receita para pedir perdão e virar a página. Ora, não estou recomendando que adotemos essa abordagem agora, mas me ocorrem alguns políticos e executivos em quem eu não me importaria de testá-la – só para ver se funciona.

Um exemplo mais secular (e mais elegante) de restauração me foi relatado por uma mulher que conheci em uma conferência alguns anos atrás. A irmã dela morava na América do Sul e um dia percebeu que a empregada de sua casa vinha furtando um pouco de carne do freezer de tempos em tempos. A irmã não se importou muito (a não ser pela frustração de que às vezes não tinha carne suficiente para preparar o jantar), mas claramente precisava tomar alguma providência.

A primeira parte de sua solução foi instalar uma tranca no freezer. Depois informou à empregada que suspeitava que algumas pessoas que trabalhavam na casa vinham ocasionalmente pegando carne do freezer e por isso queria que só as duas ficassem com as chaves. Deu também à empregada uma pequena promoção financeira pela responsabilidade aumentada. Com o novo papel, as novas regras e o controle adicional, os furtos cessaram.

Essa abordagem parece ter funcionado por uma série de motivos. Suponho que o hábito de furtar da empregada tenha se desenvolvido como a desonestidade que viemos discutindo aqui. Talvez houvesse começado com uma ação pequena ("Vou pegar só um pouco de carne enquanto faço a faxina"), mas, tendo furtado uma vez, ficou bem mais fácil continuar fazendo aquilo. Ao trancar o freezer e dar à empregada uma responsabilidade adicional, a mulher ofereceu a ela um meio de restaurar seu nível de honestidade. Também creio que confiar a chave à empregada foi um elemento importante para mudar sua visão sobre furtar carne e criar uma norma social de honestidade naquela casa. Acima de tudo, agora que era preciso uma chave para abrir o freezer, qualquer ato de furto teria que ser mais deliberado, mais intencional e bem mais difícil de justificar a si mesma. Isso é similar ao que aconteceu quando forçamos os participantes a deliberadamente mover o mouse até o rodapé da tela do computador para revelar um gabarito (como vimos no Capítulo 6).

O fato é que quanto mais desenvolvermos e adotarmos mecanismos desse tipo, mais capazes seremos de refrear a desonestidade. Nem sempre será simples, mas é possível.

É importante observar que criar um ponto final e a oportunidade de um novo começo pode acontecer numa escala social mais ampla. A Comissão de Verdade e Reconciliação na África do Sul é um exemplo desse tipo de processo. O propósito dessa comissão semelhante a um tribunal foi viabilizar a transição do governo do apartheid – que havia oprimido fortemente a vasta maioria dos sul-africanos por décadas – para um novo começo e para a democracia.

Semelhante a outros métodos de deter um comportamento negativo, fazer uma pausa e começar de novo, o objetivo da comissão foi a reconciliação, não a retaliação. Estou certo de que ninguém alegaria que a comissão apagou todas as lembranças e todos os vestígios da era do apartheid ou que algo tão profundamente assustador pudesse alguma vez ser esquecido ou plenamente curado. Mas ela constitui um exemplo importante de como reconhecer o mau comportamento e pedir perdão pode ser um passo importante na direção certa.

★ ★ ★

Finalmente, vale a pena tentar examinar o que aprendemos sobre a desonestidade de uma perspectiva mais ampla e ver o que pode nos ensinar sobre a racionalidade e a irracionalidade em termos mais gerais.

Ao longo dos diferentes capítulos vimos que existem forças racionais que acreditamos impelir nosso comportamento desonesto – mas não impelem. E existem forças irracionais que acreditamos não impelir nosso comportamento desonesto – mas impelem. Essa incapacidade de reconhecer quais forças estão em funcionamento e quais são irrelevantes é algo que vemos sistematicamente nas pesquisas sobre tomada de decisões e economia comportamental.

Sob essa ótica, a desonestidade é um ótimo exemplo de nossas tendências irracionais. Ela é difundida, não entendemos instintivamente como opera sua magia em nós e, o mais importante, não a reconhecemos em nós mesmos.

A boa notícia em tudo isso é que não somos impotentes em face de nossas falhas humanas (incluindo a desonestidade). Uma vez que entendamos melhor o que realmente causa o comportamento indesejado, podemos começar a descobrir meios de controlar nossa conduta e melhorar nossos resultados. Essa é a verdadeira meta da ciência social, e estou certo de que a jornada se tornará mais importante e interessante nos próximos anos.

11

ALGUMAS REFLEXÕES SOBRE RELIGIÃO E HONESTIDADE/DESONESTIDADE

Nos últimos anos, sempre que eu ia a um restaurante, perguntava ao garçom se havia uma maneira de comer e sair sem pagar. Às vezes os garçons pediam meu cartão de crédito por segurança, mas quase sempre me davam boas sugestões. Por exemplo, diziam que eu poderia ir ao banheiro e usar a porta lateral para ir embora antes da chegada da conta. Ou diziam que eu poderia pegar a carteira, fingir que deixava o dinheiro e então me afastar tranquilamente da mesa.

Depois que ouvia esses conselhos de como dar o golpe, eu indagava aos garçons com que frequência as pessoas chegavam a fazer aquilo. E, sem exceção, eles respondiam que quase nunca acontecia, apesar da chance de fazer uma refeição grátis e da alta probabilidade de conseguir escapar ileso. Esse e outros comportamentos semelhantes mostram que, embora (por um ponto de vista puramente egoísta) seja benéfico comer num restaurante e sair sem pagar, operamos dentro de um conjunto de restrições morais que nos fazem evitar esse tipo de conduta imoral.

Em contraste, vejamos o caso dos downloads ilegais de séries e filmes. Às vezes pergunto aos meus alunos se têm algum arquivo baixado de forma ilegal em seus dispositivos e quase todos admitem que sim – e que não se importam se seus amigos ou pais descobrirem. Então qual é a diferença entre fazer downloads ilegais e se esquivar da conta do restaurante?

Claramente não é uma questão de ser pego, pois as chances disso nos dois casos são baixíssimas. Tampouco se trata da magnitude da punição, porque, se alguém o flagrasse saindo sem pagar sua conta no restaurante, você poderia muito bem dizer que esqueceu, ao passo que a indústria do entretenimento não aceitaria a mesma justificativa. Em grande parte, o que nos impede de agir mal não é a probabilidade de sermos pegos ou o tamanho da punição. Em vez disso, é a culpa, pois temos uma relação direta com o pessoal do restaurante, e isso basicamente ativa nosso monitor interno e nossa consciência.

A boa notícia é que todos temos uma bússola moral. A má notícia é que não podemos presumir que nossa consciência está sempre nos protegendo, de maneira constante e sem qualquer esforço. Sendo assim, como manter nossa bússola moral em bom estado de funcionamento? Para obter as respostas, vamos dar uma olhada na sabedoria antiga.

Algumas lições da religião

Você provavelmente notou que fiz referência frequente a exemplos da religião ao longo do livro. Mencionei tradições religiosas ao discutir em um experimento o efeito de recordar (ou tentar recordar) os Dez Mandamentos sobre a honestidade; ao contar a história do homem cujas franjas do *talit* o levaram a abrir mão do prazer carnal proibido; ao mencionar o papel de rituais restauradores para superar o efeito "Que se dane"; e ao fazer a conexão entre a prática da autoflagelação na Opus Dei e nossos participantes assolados pela culpa nos experimentos com choques. Por que fiz isso?

Ora, a religião tem muito a dizer sobre nossa luta contra uma variedade de problemas humanos, inclusive honestidade e moralidade. É claro que minha opção por buscar ideias na religião poderia também ser um reflexo de minha maturidade e minha idade (as pessoas às vezes se espiritualizam mais ao envelhecer). Independentemente do motivo – e de qualquer crença em Deus –, examinar esses textos de maneira mais ampla como um reflexo do pensamento e da sabedoria humanos poderia nos ajudar a lançar alguma luz sobre a honestidade, a desonestidade e seu lugar complexo na sociedade.

Uma breve ressalva

Antes de seguir discutindo as potenciais lições da religião sobre a desonestidade, devo mencionar que, quando descrevo relatos das Sagradas Escrituras, estou ciente de que existem diferentes versões e nuances. Não sou um especialista em religião. Fui informado de minhas limitações nesse domínio inúmeras vezes após a primeira edição de *Previsivelmente irracional*, em que listei a versão católica romana dos Dez Mandamentos e esqueci de mencionar que existem outras versões (sem falar nos códigos morais de outras religiões).

Assim, se as histórias e os ensinamentos religiosos descritos nas próximas páginas não forem aqueles com que você está habituado, espero que consiga ignorar as diferenças e ainda assim encontrar proveito nas lições. E já peço de antemão a paciência e o perdão de todos os não judeus e não cristãos.

Ciência social e religião

Vistas sob as lentes da ciência social, as religiões podem ser consideradas não apenas conjuntos de crenças específicas sobre Deus, mas também conjuntos prescritivos de lições e regras de conduta. Assim, os princípios religiosos desempenham um papel importante em direcionar as pessoas a se comportarem de modo a melhorar a convivência uns com os outros e visando a metas de longo prazo em vez do interesse egoísta de curto prazo.*

Como uma evidência inicial de que os textos religiosos antigos têm algo a dizer acerca dos temas sobre os quais os cientistas sociais se debruçam, vamos refletir a respeito de como o pensamento religioso lida com uma das maiores divergências entre a psicologia social e a economia neoclássica: nossas preferências resultam de nossas ações ou nossas ações resultam de nossas preferências?

Os economistas dizem que nossas preferências determinam nossas condutas. Começamos pelo que nos agrada e, baseados nessas preferências estáveis, tomamos decisões e fazemos compras. Por outro lado, os psicólogos

---

* Sabemos que, ao longo dos séculos, as pessoas infligiram danos enormes e causaram derramamento de sangue em nome de suas religiões. No entanto, para nossos propósitos aqui, gostaria de enfocar como a religião tem lidado com a honestidade e a desonestidade e as lições positivas que podemos extrair disso.

(e economistas comportamentais) dizem que a direção da causalidade às vezes se inverte – ou seja, nossas ações podem determinar (ou ao menos influenciar) nossas preferências. Por exemplo, quando construímos alguma coisa, o ato de construir faz com que gostemos ainda mais dela.

E o que as religiões dizem sobre essa questão? No Sanhedrin 105b, um texto rabínico judeu, existe um profundo reconhecimento do ciclo de feedback autossinalizador: "Uma pessoa deveria sempre se envolver com a Torá e seus preceitos ainda que sem sinceridade, porque o comportamento insincero leva ao comportamento sincero." Um rabino medieval, Aharon Halevi de Barcelona, levou essa ideia ainda mais adiante:[1]

> Saiba que uma pessoa é influenciada por suas ações, e seu coração e todos os seus pensamentos sempre seguem os atos que pratica, sejam bons ou ruins. Mesmo uma pessoa completamente perversa, cujo coração conspira pelo mal o dia inteiro, se seu espírito for despertado e investir seus esforços e ocupação em diligentemente cumprir a Torá e os mandamentos, ainda que não seja para agradar ao Céu, ela automaticamente se voltará para o bem e, pelo poder de suas ações, esmagará sua Inclinação Malévola, já que o coração segue as ações realizadas pela pessoa. De forma semelhante, ainda que alguém seja completamente virtuoso e seu coração seja franco e sincero, e anseie a Torá e os mandamentos, mas sempre se envolva em atos de vaidade, por exemplo, se o rei a forçasse e designasse para um comércio condenável, na verdade se toda sua ocupação for nesse comércio, após algum tempo estará transformada de um coração honesto em uma pessoa perversa, pois se sabe e é verdade que todo homem é afetado por suas ações.

Devo observar que me agradou particularmente que a economia comportamental e o papel do comportamento em formar preferências (um processo a que nos referimos como autossinalização) emergem aqui como a visão predominante.

Como experimentalista, também fiquei satisfeito ao constatar que o melhor método que conheço para descobrir o que se passa – realizar experimentos – está documentado na Bíblia. Por exemplo, em Juízes 6, Gideão tenta responder à pergunta: "Como posso ter certeza de que algo é verdade, de que não estou apenas acreditando naquilo em que quero acreditar?"* O experimento de Gideão foi testar se Deus realmente falava com ele e queria que liderasse uma rebelião ou se era apenas uma voz em sua cabeça.

Na primeira noite em que Gideão estava contemplando essa questão, pediu a Deus que fizesse o orvalho da manhã pousar somente num pedaço de lã e não na terra em volta. Na noite seguinte, quis se certificar de que aquele padrão de dados da queda do orvalho não se devia ao acaso ou a condições climáticas específicas. Assim, ele fixou uma condição de controle e pediu a Deus que fizesse exatamente o oposto: mantivesse a lã seca, mas a cercasse de terra orvalhada. Quando viu ambos os padrões de dados confirmados, teve certeza de que Deus estava de fato do seu lado e a rebelião começou.

Lições sobre conflitos de interesses

O primeiro capítulo do livro de Daniel está repleto de ciência social. Não é o que se espera ver como introdução a um escrito mais conhecido pelos sonhos simbólicos e pelas profecias.

O livro de Daniel começa no século VI a.C., quando o rei babilônico Nabucodonosor está construindo seu enorme império asiático e buscando maneiras de reduzir o risco de revoltas entre os povos conquistados. Como um novo CEO após uma fusão de empresas, ele exilou grupos inteiros de pessoas. Ao mesmo tempo, procurou fazer com que os povos vivendo na fronteira do seu império fossem assimilados. No caso dos israelitas, usou uma estratégia baseada em incentivos.

Após ter ocupado partes da Terra Santa, Nabucodonosor decidiu criar um conflito de interesses no meio da elite judaica. Levou os rapazes mais belos e brilhantes da juventude israelita recém-conquistada (incluindo Daniel) para o palácio e lançou mão de benefícios para obter a lealdade deles. Forneceu-lhes refeições palacianas e os colocou sob os cuidados diretos do chefe do seu estado-maior. Eles estudaram a língua e a literatura babilônicas como parte de um curso de treinamento de três anos. Ao final, os membros

---

* Ver também *Positivamente irracional* (Capítulo 11).

da fina flor de Israel estariam prontos para se tornar dirigentes babilônicos, trabalhando para o império como autoridades em vez de como escravos.

Fornecer brindes às pessoas é um meio consagrado de ganhar sua lealdade. Vendedores de produtos farmacêuticos fazem isso, assim como vendedores de cosméticos e lobistas. Os presentes atuam sobre nossos sentimentos de várias maneiras: mudam a forma como experimentamos algo e acionam nosso "botão da retribuição". Como vimos no Capítulo 3, as pessoas preferiram a arte da galeria que indiretamente lhes estava pagando. Quando temos uma ordem de ser objetivos e um incentivo para não ser, nossas inclinações acabam prevalecendo – ainda que a gente acredite que isso não vai acontecer. Os favores afetam profundamente nossas preferências e nossa lealdade.

Assim, se os jovens judeus no palácio babilônico eram como as outras pessoas, as ofertas feitas por Nabucodonosor de comida e vinho – sem falar do prestígio – poderiam ter atenuado a postura deles em relação à invasão da Terra Santa. E isso teria ocorrido sem que os rapazes sequer soubessem como seus sentimentos e sua lealdade tinham sido alterados. Eles poderiam simplesmente ter atribuído sua mudança de atitude ao próprio julgamento racional e à sua experiência com os aparentemente benévolos caldeus.

No entanto, além da tendenciosidade que o bom tratamento de Nabucodonosor poderia ter criado nos próprios rapazes, o imperador provavelmente também esperava influenciar suas famílias. Talvez Nabucodonosor quisesse que as famílias dos moços e os demais exilados se impressionassem com todo o glamour e o reconhecimento dados a seus filhos favoritos. Se vissem que o rei havia favorecido seus entes queridos, as famílias poderiam mudar seu ponto de vista também. Imagine quão difícil seria odiar uma pessoa que é excepcionalmente bondosa e gentil com nossos filhos, sobretudo quando eles retribuem esse carinho.

O interessante é que nem todos se deixaram seduzir pela abordagem de Nabucodonosor. Daniel e três de seus amigos (Hananias, Misael e Azarias) estavam entre os melhores em seu grupo de treinamento. Sentindo que deviam fidelidade aos israelitas, decidiram não comer da carne nem beber do vinho que o rei lhes enviava. Ao se recusar a consumir a comida e o vinho do rei, os quatro jovens também estavam se recusando a adotar a inclinação favorável ao rei no conflito de interesses. E, em vez de deixarem sua fidelidade se voltar para a Babilônia (e, dentro de uma geração, para a Pérsia), mantiveram-se leais ao povo judeu e à sua religião. Ao final do período de treinamento de três anos, os quatro continuavam rejeitando a comida e o vinho de Nabucodonosor.

Quando ficou claro que Daniel seria a escolha ideal para uma promoção ao posto máximo no Império Medo-Persa, seus inimigos aprovaram uma lei dizendo que, por 30 dias, ninguém poderia venerar nem orar a ninguém que não fosse o rei. Daniel, é claro, desobedeceu. Seus inimigos conseguiram facilmente flagrá-lo orando a seu deus e, em consequência, ele foi lançado numa cova de leões famintos. Segundo a história, porém, o jovem milagrosamente sobreviveu e emergiu da cova incólume. Talvez a história seja uma lição para todos nós que somos tentados, de tempos em tempos, por conflitos de interesses.

O relato de Daniel e seus amigos nos mostra como resistir aos conflitos de interesses: tente ao máximo não aceitar presentes que possam alterar seu julgamento. Se você precisa aceitar um jantar pago por outra pessoa, perceba que pode ser uma tentativa de mudar seu pensamento e sua conduta. E, se estiver numa situação em que o conflito de interesses é inevitável, defina de antemão uma ordem clara de fidelidades e prioridades e certifique-se de lembrar e seguir essa ordem predefinida.

Muitas religiões possuem regras explícitas para se lidar exatamente com esse problema. O caminho para a propriedade envolve transações sociais e comerciais, e, no processo de adquirir posições e bens, as obrigações sociais podem aparecer sob a forma de inclinações e lealdades divididas. Como os líderes religiosos se encontram em posição de poder, muitos deles precisam abrir mão do direito de possuir qualquer bem ao ingressar em suas ordens, no intuito de suprimir por completo os conflitos de interesses.

Centenas de anos antes do nascimento de Daniel, Moisés já alertava que conflitos de interesses podem mudar a perspectiva de uma pessoa: "Também suborno não tomarás; porque o suborno cega os que têm vista e perverte as palavras dos justos." (Êxodo 23:8) Para todos que viveram o colapso financeiro americano de 2008, é fácil ver por que conflitos de interesses seriam uma questão de política pública. Grandes somas de dinheiro distorceram a objetividade de pessoas que deveriam ter reconhecido os perigos representados por ferramentas financeiras suspeitas. E, mesmo depois que todo o dano foi provocado e ganhamos uma compreensão nova das forças prejudiciais nos mercados financeiros, a atividade dos lobistas ainda impede efetivamente que regulamentos novos e melhores sejam postos em prática.

Mentirinhas num mundo cinza

Para mim, talvez a lição mais importante (e provavelmente menos reconhecida) da religião no que concerne a este livro é o reconhecimento de que algum nível de desonestidade é necessário na sociedade. Ora, na vida nem tudo é preto no branco. Quando tomamos decisões, estamos examinando uma série de prós e contras amontoados num espectro de tons de cinza. Nossas motivações – por mais respeitáveis que sejam – muitas vezes se contrapõem a outras forças.

Abraão e Sara fornecem um exemplo maravilhoso disso em Gênesis 18:1-14. Esse casal bíblico não tinha filhos, apesar de Deus ter dito a Abraão várias vezes que ele e Sara teriam mais descendentes do que seriam capazes de contar. E Deus reafirmou sua promessa mesmo depois que eles passaram da idade fértil.

Sara estava ouvindo, escondida, quando Deus falou com Abraão e riu consigo mesma ao ouvir as palavras de Deus, pensando na imensa improbabilidade de ter um filho de um Abraão tão velho assim. E ela também não era mais uma mocinha.

Deus ouviu o riso de Sara e então deu a Abraão uma explicação ligeiramente modificada da reação dela: "E disse o Senhor a Abraão: Por que se riu Sara, dizendo: 'Na verdade darei eu à luz ainda, havendo já envelhecido?' Haveria coisa alguma difícil ao Senhor? Ao tempo determinado tornarei a ti por este tempo da vida, e Sara terá um filho."

Alguns estudiosos da religião têm uma interpretação interessante dessa passagem. Em vez de destacar a descrença de Sara no poder de Deus, observam que Deus estava protegendo Abraão de descobrir o que Sara estava realmente pensando: que Abraão estava velho demais para, bem, procriar. Ao explicar o riso de Sara para Abraão, Deus parece ter deixado de fora a parte na qual Sara deu umas boas gargalhadas sobre a idade e a virilidade do marido. Em vez disso, Deus fez com que parecesse que ela não acreditava nos Seus poderes. Em suma, Deus contou uma "mentirinha". Por quê?

Rashi, o famoso rabino medieval, achou que essa passagem ilustrava a existência de algo como "excesso de honestidade". Às vezes a honestidade absoluta põe em risco a paz doméstica. Assim como Deus nessa passagem, nós também ocasionalmente podemos ter que pôr a harmonia familiar à frente da revelação completa da verdade (o que é uma justificativa incrível, caso você venha a precisar de uma).

Conversei sobre essa interpretação com o rabino-chefe da Inglaterra, Jonathan Sacks, e ele concordou com Rashi. O rabino Sacks me contou que a história ilustra a necessidade de priorizar diferentes valores quando eles entram em conflito. "Existem muitos valores humanos", disse ele. "A honestidade é um deles. A paz em família é outro. Mas, infelizmente, nem todos os valores humanos são compatíveis o tempo todo em todas as circunstâncias. O que ocorre quando valores colidem? No judaísmo, o ensinamento é que a paz doméstica pode às vezes prevalecer sobre a honestidade total." (Devo também observar que o rabino Sacks acrescentou que isso não significa que devamos considerar levianamente a desonestidade, mesmo quando contamos uma mentirinha e ainda que seja pela paz doméstica.)

Por outro lado, o filósofo do século XVIII Immanuel Kant apresentou uma perspectiva bem diferente da desonestidade. É famosa sua ideia de que *jamais* devemos transigir no tocante à honestidade. Ele acreditava que a honestidade é uma marca da racionalidade e que a racionalidade é a base da dignidade humana. Uma crítica desafia a premissa kantiana com o seguinte cenário: imagine que alguém quer assassinar seu amigo e você o escondeu na sua casa. O assassino em potencial pergunta a você se seu amigo está escondido na sua casa. Mesmo então, diz Kant, você deveria dizer a verdade.[2]

Entretanto, a realidade é que quase todos nós – tirando Immanuel Kant e uns poucos como ele – reconhecemos que uma pitada de desonestidade fornece um valioso amortecimento social. Quase ninguém acha que a melhor resposta para a pergunta "Esta roupa me deixa bem?" ou a reação apropriada para um projeto doméstico do tipo "Faça você mesmo" sejam sempre a verdade nua e crua. Se formos honestos com nós mesmos sobre nossa desonestidade, precisamos reconhecer que, no domínio das relações sociais, muitas vezes contamos mentirinhas e que não queremos conviver com pessoas que nos contam toda a verdade o tempo todo. No fundo, queremos que as pessoas à nossa volta enfeitem as coisas um pouco a nosso favor. Afinal, sem essas sutilezas sociais, nossos relacionamentos se esgarçariam e desgastariam rapidamente. As mentirinhas, tão úteis para nos ajudar a preservar os relacionamentos, são um dos principais motivos de termos uma relação tão complexa com a verdade.

De volta aos Dez Mandamentos: como manter a honestidade das instituições

Tive outra constatação interessante quando examinei em mais detalhes o oitavo mandamento* (Êxodo 20:16), que declara que as pessoas não devem prestar falso testemunho. Na minha lembrança, ele se referia à mentira. Mas não. Na verdade, diz respeito ao perjúrio.

Vamos assumir: se a gente tivesse que listar 10 coisas que jamais iria querer que alguém fizesse, a maioria de nós não incluiria prestar falso testemunho. Ainda assim, a proibição do perjúrio foi parar nos Dez Mandamentos, e a questão não se encerra lá. Mais à frente, em Deuteronômio 19:15-21, existe uma descrição de uma cena em que os juízes começam a duvidar de uma testemunha. Nesse caso, o texto instrui, os juízes deveriam fazer uma investigação minuciosa de seu depoimento e, se achassem que a testemunha está mentindo, "Far-lhe-eis como cuidou fazer a seu irmão; e assim tirarás o mal do meio de ti. Para que os que ficarem o ouçam e temam, e nunca mais tornem a fazer tal mal no meio de ti".

Ao analisar esse mandamento, achei que não abordava a verdadeira questão da mentira e da desonestidade. Também me pareceu desnecessariamente específico. Imagino que a maioria das pessoas concordaria, após pensar a respeito por um momento, que o perjúrio não está no mesmo

---

* Dependendo da religião ou seita, este é às vezes o nono mandamento.

nível do assassinato ou do roubo. Alguém sente calafrios com a ideia de mentir no tribunal? Por que o falso testemunho recebeu tamanha prioridade – tanto nos Dez Mandamentos quanto no sistema jurídico moderno, que pune fortemente o perjúrio – dentre todos os nossos potenciais atos desonestos?

Uma explicação simples é que um falso testemunho pode ter efeito devastador sobre um inocente. Pessoas poderiam ser punidas e até mortas por causa de um falso testemunho ("Sim, excelência, foi meu ex-chefe quem apunhalou essa pessoa inocente na rua outro dia"). Mas, se esse fosse o motivo principal para a proibição do falso testemunho, o mesmo resultado seria obtido por um mandamento proibindo a mentira em geral.

Se pensamos um pouco mais sobre a natureza singular do falso testemunho, concluímos que mentir no tribunal é terrivelmente problemático em vários níveis. Primeiro, qualquer mentira no tribunal é um ato público. E, como mostramos no experimento da "maçã podre" do Capítulo 8, uma vez que se uma só pessoa mentir de forma óbvia e escandalosa, mais pessoas do mesmo grupo social começarão a achar esse tipo de conduta mais socialmente aceitável. É por isso que a desonestidade pública na forma de prestar falso testemunho pode rapidamente elevar a desonestidade a novas alturas – e por isso é mais importante impedi-la do que nossa desonestidade privada.

Uma segunda questão (e aquela em que estou mais interessado para nossos propósitos aqui) é que mentir no tribunal interfere na boa governança. Comprometer as instituições pode não ser tão chocante quanto cometer crimes violentos, mas corrói a confiança que temos – e precisamos ter – nas nossas instituições públicas se quisermos que elas funcionem bem. (Se um CEO de um grande banco sai impune após trair seus clientes e acionistas, por que não poderei fingir que não sei como a TV quebrou ao reivindicar a garantia? E por que eu deveria pagar meus impostos? E por aí vai.) É por isso que as consequências desses crimes contra as instituições sociais podem ser devastadoras, potencialmente erodindo o primado da lei e da ordem na sociedade.

Por todas essas razões (o efeito sobre os inocentes, a corrosão pública da honestidade e a importância de instituições sólidas), suponho que o mandamento contra o falso testemunho seja de fato muito importante. E, embora esse mandamento não proíba a mentira de forma geral, seu foco é essencial para o bem-estar da sociedade.

A importância das regras

Durante uma de nossas conversas, perguntei ao rabino Sacks qual dos Dez Mandamentos eu deveria seguir caso fosse me concentrar em apenas um. (Era outra maneira de perguntar qual mandamento é o mais importante.) Qual resposta você acha que ele deu? O mandamento sobre não adorar ídolos? Aquele sobre assassinato?

Sua resposta não foi nada do que eu esperava. Ele disse que, se eu fosse seguir apenas um mandamento, deveria ser observar o sabá. "Se você respeitar o sabá como um dia de repouso e reflexão", sugeriu ele, "o resto dos mandamentos provavelmente virá como consequência." Aparentemente ele comungava da mesma ideia geral dos cientistas sociais sobre como funcionam nossos músculos morais e o esgotamento do ego – e sobre a importância do repouso e de restaurar nossa energia moral (ver Capítulo 4).

A Bíblia começa descrevendo como Deus criou o mundo. Primeiro fez a luz, depois formou a Terra, então as criaturas marinhas e as plantas, e assim por diante, até o ponto em que fez os animais terrestres e as pessoas. Após tudo aquilo, Deus reservou o sétimo dia para algo bem diferente: o repouso. Foi o primeiro sabá.

Os sabás depois daquele foram para as pessoas e a terra. Deus basicamente disse que cada sétimo dia seria de descanso, quando as pessoas não coletariam alimentos nem comprariam, venderiam, cultivariam a terra ou transportariam cargas. A cada sétimo ano, as terras ficariam sem cultivo. Observar o sabá tornou-se um dos Dez Mandamentos, que Deus gravou em tábuas de pedra e deu a Moisés: "Lembra-te do dia de sábado, para o santificares. Seis dias trabalharás, e farás toda a tua obra. Mas o sétimo dia é o sábado do Senhor teu Deus."

O sabá influencia aqueles que o respeitam de algumas maneiras. Primeira, oferece uma oportunidade de parar e refletir. Quando observamos esse dia, podemos nos lembrar do que realizamos na última semana e pensar no que queremos fazer na seguinte e em quais são nossos verdadeiros valores. Podemos prestar atenção nos nossos comportamentos imperfeitos que de outra forma passariam despercebidos, impedindo que resvalemos acidentalmente nos perigos morais.

A segunda forma como o sabá impele as pessoas a seguir os outros mandamentos é restaurando nossa energia moral. Não é segredo que, ao final do dia ou da semana, as pessoas com frequência se liberam (ficando embriagadas, etc.), entregando-se ao que seu lado *id* impulsivo vinha clamando enquanto estavam presas a suas obrigações. Constatamos esse tipo de exaustão moral no experimento com Nicole Mead, Roy Baumeister, Francesca Gino e Maurice Schweitzer (ver Capítulo 4). Nele, a desonestidade dos participantes aumentou após uma tarefa de redação mais difícil, indicando que na vida cotidiana (mesmo sem tarefas de redação difíceis propostas por cientistas sociais) a exaustão pode liberar nossos *ids*. O esgotamento do ego, ao que se revela, explica não apenas se tomamos decisões boas ou ruins, mas também se obedecemos à nossa consciência.

Existe outra maneira como o sabá pode ser uma dádiva para nossa moralidade. É uma questão de regras e autocontrole. As decisões estão entre os muitos comportamentos que nos esgotam. Elas tornam a vida mais complexa e difícil. Quanto mais decisões precisamos tomar, mais nosso autocontrole se enfraquece. O que pode libertar as pessoas de tomar decisões? As regras. O sabá não envolve apenas relaxamento. Também implica cumprir uma lista de regras e restrições – coisas que tornam o dia diferente de todos os demais. As regras oferecem alívio porque outra "pessoa" (nesse caso, Deus) está ao volante e você pode cochilar tranquilo no banco do carona.

Se você nunca celebrou um sabá judaico ortodoxo, pode não conhecer todas as regras. Os judeus ortodoxos não dirigem, não andam de transporte público, não cozinham, não escrevem, não se envolvem em nenhuma atividade comercial, não acendem nem apagam fogo. Judeus ortodoxos muito devotos nem sequer rasgam algo no sabá, e, assim, usam lenços de papel em vez de papel higiênico.

É claro que cumprir todas essas regras pode demandar certo planejamento prévio. Mas também simplifica enormemente as decisões sobre o que vestir e comer, e se vamos trabalhar, ver TV, responder aos e-mails ou passar tempo com as crianças, e assim por diante. Um rabino do século XX, Eliyahu Dessler, afirmou que as regras (ou "pontos de decisão", como as chamou) servem de espadas e escudos na batalha moral. Os cumpridores habituais do sabá, ele diria, não estão gastando nenhuma energia moral com a decisão do que fazer durante o sabá nem com a possibilidade de romper suas regras.[3] Essas decisões já foram tomadas por Deus e agora tudo que temos que fazer é executar as decisões sem questionar ou duvidar – e sem a angústia mental e a exaustão relacionadas a isso.

Mas podemos realmente reduzir o esgotamento do ego? E cumprir regras ajuda mesmo a lidar melhor com as tentações? Um estudo bem interessante de Reuven Dar, Florencia Stronguin, Roni Marouani, Meir Krupsky e Hanan Frenk tentou responder a essa pergunta.[4] Eles abordaram judeus ortodoxos que eram fumantes inveterados e lhes pediram que relatassem seus estados de espírito e sua ânsia por cigarros no decorrer do dia. Os pesquisadores repetiram esse procedimento em três tipos diferentes de dia: 1) um dia normal, quando os fumantes religiosos fumavam como de hábito; (2) um dia normal em que poderiam fumar mas os pesquisadores pediram que não fumassem (e os religiosos concordaram); e 3) o sabá, quando os religiosos não estavam autorizados a fumar, de acordo com as regras de sua crença. A questão era se as regras rigorosas do sabá reduziriam as sensações de tentação e a necessidade de autocontrole dos fumantes.

Assim, digamos que você seja um dos fumantes desse estudo. Em que dia sentiria mais ânsia de fumar e em que dia sentiria menos? Se o único fator que determinasse seu nível de ânsia fosse o tempo transcorrido desde o último cigarro, você deveria apresentar o mesmo estado de espírito e os mesmos padrões de ânsia nos dois dias em que não fumou (o dia normal sem fumar e o sabá). E esperaríamos que sentisse menos fissura por cigarro no dia normal em que fumou. A questão é: e se você for um judeu ortodoxo? As regras rigorosas do sabá significariam menos tentação e necessidade de autocontrole no dia em que você não fumasse por motivos religiosos?

Vamos aos resultados. Os participantes apontaram uma diferença substancial entre a ânsia de fumar no sabá e nos outros dois dias. No sabá, relataram graus de ânsia bem menores em relação ao dia normal sem fumar. Também disseram que nesse dia nem sequer sentiram a mesma ânsia por cigarro dos dias normais em que fumavam. O interessante é que foi o sabá, e não o ato de fumar, que reduziu mais a ânsia.

Devemos, é óbvio, sempre suspeitar de dados autorrelatados, especialmente quando as perguntas estão ligadas à violação de regras sociais e morais. Mas a principal descoberta (a revelação dos fumantes de que a ânsia por cigarros era bem *menor* no sabá) ainda assim é interessante.

Essas constatações e ideias indicam que as regras, que são a base de muitas das religiões do mundo, podem ajudar a lidar com a tentação. Podem contribuir para não nos deixar cair em tentação, como diz a oração do Pai-Nosso, e nos livrar do mal. E nos auxiliar não apenas nas decisões imediatas, mas também nas decisões futuras.

Quando precisamos tomar muitas decisões sem regras para nos guiar, nada é automático e temos que investir certa energia em cada uma delas. Todo esse esforço vai minando nossa energia moral, tornando-nos mais passíveis de ceder à tentação. Mas, quando dispomos de regras – particularmente regras rigorosas –, não precisamos tomar o mesmo número de decisões e nos resta mais energia moral. Esse mesmo princípio se aplica a todas as regras, religiosas ou não, desde que sejam claras e ajudem a reduzir a carga das escolhas em nossa vida.

Não sei se você vai concordar comigo, mas, embora eu não esteja particularmente planejando adotar mais regras rigorosas na minha vida, acho intuitivamente interessante que normas (como a Regra de Ouro, que é tratar os outros como gostaríamos de ser tratados) possam ajudar a regular nosso comportamento. Ao pensar sobre quais teríamos que adicionar à nossa vida, deveríamos nos perguntar quais são as características das regras úteis. A primeira parece ser nos dar um plano de ação específico. Por exemplo, nos Alcoólicos Anônimos (AA) o plano de ação específico é ficar um determinado período sem beber álcool – uma hora, um dia, uma semana, um mês e assim por diante. A ideia é acumular uma série de pequenos passos concretos.

A segunda característica parece ser a precisão, para que possamos ver facilmente a qualquer momento de que lado da regra estamos. Pense, por exemplo, no que aconteceria se os membros do AA fossem autorizados a beber meio copo de álcool por dia. Que tamanho de copo os membros do AA começariam a comprar e usar? E o que aconteceria se começássemos a antecipar seu suprimento futuro, bebendo mais hoje e prometendo, em troca, beber menos na semana que vem? Diante dessa imprecisão, os membros logo se achariam em uma situação adversa. Em contraste, a regra claríssima de *absolutamente nenhum álcool* facilita a tarefa de descobrir se você está cumprindo ou violando a regra.

Finalmente, acredito que outra característica importante para criar uma regra é vinculá-la a um sentido maior. Se foi fixada de forma arbitrária (malhar 30 minutos três vezes por semana; comer duas porções de fruta e consumir até 2 mil calorias diárias), a própria regra – e o rompimento dela – será relativamente irrelevante. Mas, se nos vincula a outras pessoas (estamos todos fazendo isso juntos), a algum outro propósito maior (é o que as pessoas de bem fazem) ou a uma crença profunda (os mandamentos de Deus), romper a regra fica mais difícil e menos provável de ocorrer. Nos AA, por exemplo, tudo está ligado a uma sensação de se entregar a um "poder maior".

Sendo assim, e se você tivesse uma regra específica e precisa segundo a qual nos sábados e domingos não deverá usar nenhum dispositivo digital nem fumar e acreditasse que cumpri-la serviria a um propósito maior? Com a proibição absoluta dessas atividades, você poderia achar mais fácil aderir ao plano. Além do mais, uma vez transposto o ponto em que tinha que tomar decisões ativas sobre essas atividades, você entraria no terreno do hábito e suas decisões seriam executadas sem maiores esforços. Diante dessa conquista, você provavelmente conseguiria resistir a outras tentações: comer demais, enviar mensagens de texto enquanto dirige, etc. Se a lógica é válida, qualquer versão de um sabá pode ajudá-lo a atingir seu melhor eu. Não tenho certeza de que sempre será assim, mas seguramente vale a pena tentar.

Ajudando a manter a honestidade uns nos outros

Em outra história bíblica, dessa vez envolvendo trapaça e vingança, Jacó e sua mãe, Rebeca, usaram algumas ferramentas curiosas para enganar o restante da família e tornar Jacó o herdeiro.

Isaque, Rebeca e seus dois filhos não apenas mentiram entre si, mas criaram esquemas elaborados envolvendo a personificação e se especializaram em tirar proveito uns dos outros quando as emoções estavam a mil.

Com frequência, quando vemos exemplos de desonestidade, o egoísmo aparece como uma das forças propulsoras. Mas a história de Jacó e Rebeca é um pouco diferente: trata-se de um caso em que alguém é desonesto em benefício de um ente querido.

Isaque, o filho de Abraão e Sara, e sua esposa, Rebeca, tiveram dois filhos gêmeos. Esaú nasceu primeiro e era um bebê estranho. A Bíblia o descreve como tendo um rosto vermelho e corpo peludo. Seu irmão gêmeo, Jacó, nasceu segurando o calcanhar de Esaú. Embora houvessem vindo ao mundo com uma diferença de apenas poucos segundos, a tradição determinava que o filho mais velho herdaria quase tudo, inclusive uma bênção especial de seu pai. Ah, e os pais tinham seus favoritos: Isaque preferia Esaú e Rebeca preferia Jacó.

Anos mais tarde, o jovem Esaú se casou com umas mulheres hititas que seus pais detestavam. Isaque já estava bem velho e, a não ser que algo mudasse, suas propriedades e sua bênção passariam irrevogavelmente para Esaú e seus descendentes. Assim, Jacó e Rebeca aproveitaram as longas ausências de Esaú em caçadas para induzir Isaque a deixar a herança de Esaú para Jacó.

Quando Esaú voltou para as tendas após uma das caçadas, Jacó estava preparando um saboroso ensopado de lentilhas. Esaú achou que morreria de fome se não obtivesse imediatamente um pouco da comida de Jacó. Este fez uma sugestão nada ortodoxa: ficaria com a herança de Esaú em troca de um prato de lentilhas. Ou Esaú era burro feito uma pedra ou se achava num estado de grave esgotamento do ego, porque ele aceitou a oferta! "Eis que estou a ponto de morrer", disse Esaú, "para que me servirá a primogenitura?" A fome e a exaustão haviam drenado todo o seu autocontrole.

Mas a história não termina aí. Ao sentir que ia morrer, Isaque – que então estava cego – quis conceder a Esaú uma bênção especial, profética. Chamou-o para uma conversa privada que de algum modo Rebeca conseguiu ouvir. Isaque lhe pediu que lhe preparasse uma refeição especial e a trouxesse consigo quando viesse receber sua bênção. Esaú foi caçar algo para cozinhar. Na sua ausência, Rebeca rapidinho entrou em ação. Preparou a refeição que sabia que Isaque pedira. Depois, pegou peles de cabra peludas e amarrou nos braços e no pescoço de Jacó para que o marido pensasse que era Esaú. Então mandou Jacó disfarçado até Isaque a fim de roubar a bênção. Funcionou.

Quando descobriu que Jacó o havia enganado e recebido sua bênção, além de seu direito de primogenitura, Esaú ficou com tanta raiva que quis matar o irmão. Mas Rebeca já tinha um plano para garantir a segurança de Jacó e assim preservar a vitória. Antes que Esaú voltasse, reclamou com Isaque que as esposas do filho a estavam deixando louca. Ela disse ao marido: "Se Jacó tomar mulher das filhas de Hete, como estas são, das filhas desta terra, para que me servirá a vida?" Assim, Isaque enviou Jacó para achar uma esposa bem longe. A viagem foi longa o suficiente para Esaú superar sua raiva inicial e se acalmar um pouco – exatamente como Rebeca havia tramado.

Deixando de lado o julgamento sobre a clara disfunção dessa família, o que você acha da questão da neutralidade dos pais aqui? Eles não deveriam se certificar de que seus filhos, independentemente da ordem de nascimento, fizessem a coisa certa? Nessa história, Rebeca, ao tentar ajudar seu filho favorito, consegue inverter completamente a posição hierárquica de Jacó e Esaú. Por que ela faria isso? O que ganharia?

Com frequência vemos os pais como supervisores, esquecendo das obrigações morais que sentem em relação aos filhos e vice-versa. Para Rebeca, havia provavelmente uma tensão entre seu papel como a mãe que criou Esaú e Jacó e seu desejo de ajudar Jacó, que sentia estar sendo tratado injustamente. Mas, como vimos no Capítulo 5, quando acrescentamos, no experimento, um elemento social à combinação de forças que pairam à nossa volta, houve um aumento da desonestidade. A "utilidade social" é uma boa resposta para o mistério do comportamento de Rebeca.

Utilidade social é como os cientistas sociais descrevem nossa ânsia em geral por cuidar dos outros, mesmo que isso consuma nossos recursos. Não há dúvida de que levar em conta a utilidade social muitas vezes melhora o mundo (pense em todas as organizações de caridade, boas ações e programas para melhorar condições de vida de populações carentes). Mas, ao mesmo tempo, pode justificar a trapaça, a mentira ou coisa pior a favor de uma outra pessoa.

Voltemos ao Capítulo 9, em que Francesca Gino, Shahar Ayal e eu examinamos a desonestidade altruísta. Descobrimos que saber que os outros vão se beneficiar de nossas ações motiva as pessoas a enganar mais. Muitos indivíduos, de líderes religiosos famosos a gente com pouca influência ou pouco poder, já mentiram em nome de sua religião. Ainda que percebam estar fazendo algo errado, justificam seu comportamento dizendo a elas mesmas que é para o bem de outras pessoas. O altruísmo é uma racionalização poderosa. Sendo assim, Rebeca teve razões humanas normais – se não racionais – para ajudar o filho favorito. De qualquer modo, sua história é um ótimo exemplo de trapaça colaborativa.

Uma reflexão final

Existem muitas histórias na Bíblia relacionadas às questões levantadas neste livro. Há a de Zaqueu e como o perdão lhe deu uma oportunidade de começar de novo (relacionada ao Capítulo 1); a margem de manobra e as mentiras não tão inocentes de Abraão (Capítulo 2); como Daniel e seus amigos resolveram seu conflito de interesses (Capítulo 3); como o sabá nos ajuda a cumprir os demais mandamentos (Capítulo 4); a prostituta Raabe possivelmente mudando o rumo de sua vida com um ato de bondade que levou a outros atos benevolentes (Capítulo 5); o autoengano e a idolatria (Capítulo 6); a criatividade e as conexões sociais do rei Salomão levando-o a trapacear cada vez mais (Capítulos 7 e 8); a trapaça colaborativa de Jacó e Rebeca (Capítulo 9); e muitas, muitas outras.

Mas qual seria o objetivo de fazer associações entre relatos bíblicos e a pesquisa sobre honestidade? Para mim, existem dois pontos principais. O primeiro envolve ideias específicas e práticas para preservar e melhorar a honestidade na sociedade, e o segundo é sobre as lições gerais que podemos extrair da religião.

As lições específicas e práticas da religião são que lembretes morais, regras, hábitos e recomeços podem ajudar todos nós a permanecer no caminho estreito e moralmente correto por mais tempo. Por esse prisma, podemos indagar se a tendência recente que vemos em partes da Europa e da América do Norte de pessoas se tornarem mais espirituais porém menos religiosas é um avanço na direção certa.

Pessoalmente, acredito que existem muitas vantagens na espiritualidade, mas, da perspectiva da redução da desonestidade, precisamos de regras específicas e precisas, de preferência ligadas a um sentido maior. Por exemplo, seria ótimo se todos adotassem a Regra de Ouro, mas, por ser uma regra geral sem um plano de ação específico, dificilmente terá a eficácia desejada. Talvez o que devêssemos buscar fosse uma espiritualidade maior que esteja acompanhada de regras mais específicas que fundamentem os princípios gerais em nossa vida cotidiana. Se somos capazes de criar tais regras e se elas serão eficazes é uma questão importante e interessante.

Outra forma de pensar sobre as lições da religião em relação à honestidade tem a ver com cronologia. Existe o período *antes* de termos a chance de trapacear, o período *durante* o qual temos a chance de trapacear e o período *depois* de termos a chance de trapacear. Em qual desses três momentos é preferível aplicar os freios morais?

No mundo legal e racional de hoje, a sociedade adota uma abordagem punitiva visando dissuadir o mau comportamento. Desse modo, costumamos nos concentrar exclusivamente no que pode acontecer *depois* que tivemos uma chance de trapacear. Por isso a abordagem mais comum para lidar com mensagens de texto ao dirigir, por exemplo, é assegurar que as pessoas entendam a multa alta (que, no meu estado da Carolina do Norte, é de salgados 500 dólares). Nosso sistema legal determina penas de prisão duras para o tráfico de drogas e outros crimes. Alguns países e estados americanos impõem a pena de morte para o homicídio.

A lógica básica por trás desse tipo de abordagem é o Modelo Simples do Crime Racional (SMORC), discutido no Capítulo 1. Acreditamos que criminosos potenciais pensarão racionalmente sobre a possibilidade de receber uma punição grande se forem flagrados (que ocorreria *após* o crime, é claro). Achamos que eles pesarão os custos e benefícios de cometer o crime antes de fazer algo e que decidirão racionalmente que o benefício do crime não compensa os custos potenciais.

Claramente, essa abordagem para reduzir a criminalidade não é muito eficaz. A ameaça de multar as pessoas não as impediu de enviar mensagens de texto enquanto dirigem. A ameaça de detenção não acabou com os arrombamentos. A ameaça de longos períodos na prisão não deteve o crime violento.

Por outro lado, a abordagem geral da religião é lidar direto com o período *antes* de trapacearmos e o período em que temos a *oportunidade* de trapacear. Primeiro, a religião tenta influenciar nossa mentalidade *antes* de sermos tentados, criando uma educação moral e – não esqueçamos – culpa. O entendimento básico é que, se quisermos refrear a desonestidade, precisamos pensar em educação e calibrar a bússola moral em vez de ameaçar com punição após o fato consumado (algo sobre o qual muitas religiões também são bem claras). Segundo, as religiões procuram influenciar nossa mentalidade *no momento* da tentação, incorporando diferentes lembretes morais ao nosso ambiente. Aqui a ideia fundamental é que, uma vez dotados de uma bússola moral, convém mantê-la em bom estado de funcionamento, com ajustes apropriados em tempo real, se quisermos que opere com plena capacidade.

Então, que conclusões podemos tirar de tudo isso? A boa notícia é que todos temos uma bússola moral. A má notícia é que não podemos simplesmente presumir que nossa consciência nos protegerá de maneira constante e sem esforço. Como sociedade, precisamos descobrir como inculcar uma bússola moral em nossos filhos e como preservar a nossa. Podemos erradicar o mau comportamento? Provavelmente não, mas acho que podemos fazer melhor do que estamos fazendo agora.

AGRADECIMENTOS

Considero gratificante e estimulante escrever sobre pesquisas acadêmicas, mas o prazer que obtenho dia após dia vem de trabalhar em parceria com pesquisadores/amigos incríveis – propondo ideias, projetando experimentos, verificando o que funciona ou não e descobrindo o significado dos resultados. As pesquisas aqui descritas são, em grande parte, produtos da engenhosidade e dos esforços de meus colaboradores (ver, a seguir, as notas biográficas dos meus notáveis colegas), e sou grato por termos conseguido percorrer juntos o terreno da desonestidade e aprender um pouco sobre esse tema importante e fascinante.

Além disso, também sou grato aos cientistas sociais em geral. O mundo da ciência social é um lugar empolgante em que constantemente novas ideias são geradas, dados são coletados e teorias são revisadas (algumas mais que outras). A cada dia aprendo coisas novas com meus colegas pesquisadores e sou lembrado de quanto não sei (para uma lista parcial de referências, ver a seção "Bibliografia e leituras adicionais", no fim deste livro).

Este é meu terceiro livro, e a esta altura seria de esperar que eu soubesse o que estou fazendo. Mas a realidade é que eu não seria capaz de fazer muita coisa sem a ajuda de várias pessoas. Meus mais profundos agradecimentos vão para Erin Allingham, que me auxiliou com a escrita; Bronwyn Fryer e Julianne Wurm, que me ajudaram a enxergar com mais clareza; Claire Wachtel, que conduziu o processo com uma leveza e um humor que são raros entre editores; Elizabeth Perrella e Katherine Beitner, que conseguiram ser meus substitutos humanos para estimulantes e ansiolíticos. E para a equipe da Agência Literária Levine Greenberg, disposta a ajudar de todas as formas possíveis. Aline Grüneisen deu várias sugestões, algumas muito perspicazes e outras que me fizeram sorrir. Sou grato também a Ania Jakubek, Sophia Cui e Kacie Kinzer. Agradecimentos especiais também vão para a pessoa que funciona como minha memória externa, minhas mãos e meu alter ego: Megan Hogerty.

Finalmente, onde eu estaria sem minha querida esposa, Sumi? Só uma pessoa muito especial estaria disposta a compartilhar uma vida comigo, e meu cotidiano frenético e o vício no trabalho não facilitam a tarefa.

Com amor,
Dan

LISTA DE COLABORADORES

Aline Grüneisen se juntou à minha equipe de pesquisa logo depois que me transferi para a Duke e tem sido uma grande fonte de energia e motivação desde então. Ela é gerente de laboratório do Center for Advanced Hindsight da Universidade Duke.

Conheci **Ayelet Gneezy** muitos anos atrás em um piquenique organizado por amigos em comum. Tive uma primeira impressão muito positiva e meu apreço por ela só aumentou com o tempo. Ayelet é professora da Universidade da Califórnia em San Diego.

David Pizarro e eu nos conhecemos num retiro acadêmico de verão na Universidade Stanford. No decorrer dos anos passamos muito tempo juntos e sempre aprendi com ele. David é professor da Universidade Cornell.

Conheci **Eynav Maharabani** em uma visita a Israel. Na época ela era estudante de pós-graduação e começara a trabalhar com Racheli Barkan. Eynav trabalha na Abilities Solution, uma empresa singular especializada em recrutar pessoas com deficiências para companhias de alta tecnologia.

Francesca Gino é uma rara combinação de gentileza, cuidado, conhecimento, criatividade e estilo. Também possui energia e entusiasmo inesgotáveis. Francesca é professora da Universidade Harvard.

Tive a sorte de atrair **Janet Schwartz** para passar alguns anos comigo no Center for Advanced Hindsight. Ela se interessa em particular por irracionalidades ligadas à assistência médica (que são numerosas) e juntos exploramos alimentação, dietas, conselhos, conflitos de interesses, segundas opiniões e diferentes abordagens para fazer as pessoas se comportarem como se estivessem preocupadas com sua saúde a longo prazo. Janet é professora da Universidade Tulane.

Lisa Shu possui uma espécie de sexto sentido para comida, boas ideias de pesquisa e moda. Além de estudar comportamento ético, interessa-se por negociação. Lisa é doutoranda da Universidade Harvard.

Mary Frances Luce foi doutoranda na Duke alguns anos antes de mim e voltou para a universidade como membro do corpo docente, também alguns anos antes de mim. Naturalmente isso a tornou uma boa fonte de conselhos ao longo dos anos e ela sempre me deu apoio e foi muito prestativa.

Maurice Schweitzer acha quase tudo à sua volta interessante e aborda projetos novos com um grande sorriso e enorme curiosidade. É professor da Universidade da Pensilvânia.

Max Bazerman é perspicaz sobre quase qualquer tema que surja sobre pesquisas, política e vida pessoal. E sempre tem algo inesperado e interessante para dizer. É professor da Universidade Harvard.

Michael Norton é uma mescla interessante de brilho, autodepreciação e senso de humor sarcástico. Com frequência penso nos projetos de pesquisa como jornadas, e com Mike parto em aventuras que seriam impossíveis com qualquer outro. É professor da Universidade Harvard.

Conheci **Nicole Mead** quando ela era estudante de pós-graduação na Universidade Estadual da Flórida. Suas boas ideias sempre me impressionam. É professora da Universidade Católica de Lisboa.

Nina Mazar veio pela primeira vez ao MIT por alguns dias para obter feedback sobre sua pesquisa e acabou permanecendo cinco anos. Sua disposição em enfrentar grandes desafios nos levou a realizar experimentos particularmente difíceis na região rural da Índia. Hoje é professora da Universidade de Toronto.

On Amir ingressou no MIT como doutorando um ano depois de mim e tornou-se "meu" primeiro aluno. Nessa função, On teve um papel enorme em moldar o que eu esperava dos estudantes e como vejo a relação professor-aluno. É professor da Universidade da Califórnia em San Diego.

Racheli Barkan e eu nos tornamos amigos quando éramos estudantes de pós-graduação. No decorrer dos anos falamos em tocar vários projetos de pesquisa juntos, mas só começamos realmente quando ela veio passar um ano na Duke. Racheli é professora da Universidade Ben-Gurion, no Neguev, em Israel.

Roy Baumeister é uma mescla singular de filósofo, músico, poeta e observador perspicaz da vida humana. É professor da Universidade Estadual da Flórida.

Scott McKenzie era um estudante de graduação entusiasmado na Duke quando ingressou no Center for Advanced Hindsight. Escolheu como tema para um projeto de pesquisa a desonestidade no golfe e ao longo do processo aprendi muito sobre esse jogo nobre. Scott agora se dedica ao mundo da consultoria.

Encontrei **Shahar Ayal** pela primeira vez por meio de amigos em comum e de novo quando ele estava estudando para seu doutorado sob a supervisão de outro amigo. Depois veio passar alguns anos no Center for Advanced Hindsight como pesquisador de pós-doutorado e hoje é professor do Instituto Interdisciplinar em Israel.

Quando eu era estudante de doutorado, compareci a uma das apresentações de **Tom Gilovich** e fiquei impressionado com a qualidade de seu pensamento e sua criatividade. Ele é professor da Universidade Cornell.

Conheci **Yoel Inbar** quando ele era aluno de Tom Gilovich e David Pizarro, e foi assim que começamos a trabalhar juntos. É professor da Universidade de Tilburg, na Holanda.

Zoë Chance é uma fonte de criatividade e gentileza. É pesquisadora de pós-doutorado na Universidade Yale.

NOTAS

Introdução

1. Ira Glass. "See No Evil", *This American Life*. National Public Radio (1º de abril de 2011).

Capítulo 1

1. "Las Vegas Cab Drivers Say They're Driven to Cheat", *Las Vegas Sun* (31 de janeiro de 2011). Disponível em: <lasvegassun.com/news/2011/jan/31/driven-cheat>.

Capítulo 3

1. A. Wazana. "Physicians and the Pharmaceutical Industry: Is a Gift Ever Just a Gift?", *Journal of the American Medical Association* (2000).
2. Duff Wilson. "Harvard Medical School in Ethics Quandary", *The New York Times* (2 de março de 2009).

Capítulo 5

1. K. J. Winstein. "Inflated Credentials Surface in Executive Suite", *The Wall Street Journal* (13 de novembro de 2008).

Capítulo 6

1. Anne Morse. "Whistling Dixie", *The Weekly Standard* (10 de novembro de 2005).
2. Geoff Baker. "Mark McGwire Admits to Steroids Use: Hall of Fame Voting Becoming a Pain in the Exact Place He Used to Put the Needle", *The*

Seattle Times. Disponível em: <seattletimes.nwsource.com/html/marinersblog/2010767251_mark_mcgwire_admits_to_steroid.html>.

Capítulo 8
1. Steve Henn. "PACs Put the Fun in Fundraising", *Marketplace* (22 de julho de 2008).

Capítulo 9
1. Dennis J. Devine, Laura D. Clayton, Jennifer L. Philips, Benjamin B. Dunford e Sarah P. Melner. "Teams in Organizations, Prevalence, Characteristics, and Effectiveness", *Small Group Research* (1999).
John Gordon. "Work Teams: How Far Have They Come?", *Training* (1992).
Gerald E. Ledford, Jr., Edward E. Lawler III e Susan A. Mohrman. "Reward Innovations in Fortune 1000 Companies", *Compensation & Benefits Review* (1995).
Susan A. Mohrman, Susan G. Cohen e Allan M. Mohrman, Jr. *Designing Team-Based Organizations: New Forms for Knowledge Work* (São Francisco: Jossey-Bass, 1995).
Greg L. Stewart, Charles C. Manz e Henry P. Sims. *Team Work and Group Dynamics* (Nova Jersey: Wiley, 1999).
2. Bernard Nijstad, Wolfgang Stroebe e Hein F. M. Lodewijkx. "The Illusion of Group Productivity: A Reduction of Failures Explanation", *European Journal of Social Psychology* (2006).
3. ADA Council on Scientific Affairs. "Direct and Indirect Restorative Materials", *The Journal of the American Dental Association* (2003).

Capítulo 11
1. Mitzvah 16 no *Sefer HaChinuch* (atribuído ao rabi Aharon Halevi de Barcelona, século XIII).
2. Do ensaio "Sobre um suposto direito de mentir por amor à humanidade".
3. Eliyahu Eliezer Dessler. *Letter from Eliyahu* (Bnei Brak: Sifriati [Gitler] Ltd., 2002).
4. Reuven Dar et al. "Craving to smoke in orthodox Jewish smokers who abstain on the Sabbath: a comparison to a baseline and a forced abstinence workday", *Psychopharmacology* (2005) 183, pp. 294-299.

BIBLIOGRAFIA E LEITURAS ADICIONAIS

Introdução
Baseado em
Tim Harford. *A lógica da vida: Descobrindo a nova economia em tudo* (Rio de Janeiro: Record, 2009).

Capítulo 1
Baseado em
Jerome K. Jerome. *Três homens e uma canoa: Sem esquecer o cachorro* (São Paulo: Global, 2012).
Jeff Kreisler. *Get Rich Cheating: The Crooked Path to Easy Street* (Nova York: HarperCollins, 2009).
Eynav Maharabani. "Honesty and Helping Behavior: Testing Situations Involving Temptation to Cheat a Blind Person", tese de mestrado, Universidade Ben-Gurion do Neguev, Israel (2007).
Nina Mazar, On Amir e Dan Ariely. "The Dishonesty of Honest People: A Theory of Self-concept Maintenance", *Journal of Marketing Research* (2008).
Nina Mazar e Dan Ariely. "Dishonesty in Everyday Life and Its Policy Implications", *Journal of Public Policy and Marketing* (2006).

Capítulo 2
Baseado em
Nina Mazar, On Amir e Dan Ariely. "The Dishonesty of Honest People: A Theory of Self-concept Maintenance", *Journal of Marketing Research* (2008).

Lisa Shu, Nina Mazar, Francesca Gino, Max Bazerman e Dan Ariely. "When to Sign on the Dotted Line? Signing First Makes Ethics Salient and Decreases Dishonest Self-Reports", documento de trabalho, Harvard Business School NOM Unit (2011).

Leituras relacionadas

Jason Dana, Roberto A. Weber e Jason Xi Kuang. "Exploiting Moral Wiggle Room: Behavior Inconsistent with a Preference for Fair Outcomes", *Economic Theory* (2007).

Christopher K. Hsee. "Elastic Justification: How Tempting but Task-Irrelevant Factors Influence Decisions", *Organizational Behavior and Human Decision Processes* (1995).

Christopher K. Hsee. "Elastic Justification: How Unjustifiable Factors Influence Judgments", *Organizational Behavior and Human Decision Processes* (1996).

Maurice Schweitzer e Christopher K. Hsee. "Stretching the Truth: Elastic Justification and Motivated Communication of Uncertain Information", *The Journal of Risk and Uncertainty* (2002).

Capítulo 2b

Leituras relacionadas

Robert L. Goldstone e Calvin Chin. "Dishonesty in Self-report of Copies Made – Moral Relativity and the Copy Machine", *Basic and Applied Social Psychology* (1993).

Robert A. Wicklund. "The Influence of Self-awareness on Human Behavior", *American Scientist* (1979).

Capítulo 3

Baseado em

Daylian M. Cain, George Loewenstein e Don A. Moore. "The Dirt on Coming Clean: The Perverse Effects of Disclosing Conflicts of Interest", *Journal of Legal Studies* (2005).

Ann Harvey, Ulrich Kirk, George H. Denfield e P. Read Montague. "Monetary Favors and Their Influence on Neural Responses and Revealed Preference", *The Journal of Neuroscience* (2010).

Leituras relacionadas

James Bader e Daniel Shugars. "Agreement Among Dentists' Recommendations for Restorative Treatment", *Journal of Dental Research* (1993).

Max H. Bazerman e George Loewenstein. "Taking the Bias Out of Bean Counting", *Harvard Business Review* (2001).

Max H. Bazerman, George Loewenstein e Don A. Moore. "Why Good Accountants Do Bad Audits: The Real Problem Isn't Conscious Corruption. It's Unconscious Bias", *Harvard Business Review* (2002).

Daylian M. Cain, George Loewenstein e Don A. Moore. "When Sunlight Fails to Disinfect: Understanding the Perverse Effects of Disclosing Conflicts of Interest", *Journal of Consumer Research* (no prelo).

Carl Elliott. *White Coat, Black Hat: Adventures on the Dark Side of Medicine* (Boston: Beacon Press, 2010).

Capítulo 4

Baseado em

Mike Adams. "The Dead Grandmother/Exam Syndrome and the Potential Downfall of American Society", *The Connecticut Review* (1990).

Shai Danziger, Jonathan Levav e Liora Avnaim-Pesso. "Extraneous Factors in Judicial Decisions", *Proceedings of the National Academy of Sciences of the United States of America* (2011).

Nicole L. Mead, Roy F. Baumeister, Francesca Gino, Maurice E. Schweitzer e Dan Ariely. "Too Tired to Tell the Truth: Self-Control Resource Depletion and Dishonesty", *Journal of Experimental Social Psychology* (2009).

Emre Ozdenoren, Stephen W. Salant e Dan Silverman. "Willpower and the Optimal Control of Visceral Urges", *Journal of the European Economic Association* (2011).

Baba Shiv e Alexander Fedorikhin. "Heart and Mind in Conflict: The Interplay of Affect and Cognition in Consumer Decision Making", *The Journal of Consumer Research* (1999).

Leituras relacionadas

Roy F. Baumeister e John Tierney. *Força de vontade: A redescoberta do poder humano* (São Paulo: Lafonte, 2012).

Roy F. Baumeister, Kathleen D. Vohs e Dianne M. Tice. "The Strength Model of Self-control", *Current Directions in Psychological Science* (2007).

Francesca Gino, Maurice E. Schweitzer, Nicole L. Mead e Dan Ariely. "Unable to Resist Temptation: How Self-Control Depletion Promotes Unethical Behavior", *Organizational Behavior and Human Decision Processes* (2011).

C. Peter Herman e Janet Polivy. "A Boundary Model for the Regulation of Eating", *Research Publications – Association for Research in Nervous and Mental Disease* (1984).

Walter Mischel e Ozlem Ayduk. "Willpower in a Cognitive-Affective Processing System: The Dynamics of Delay of Gratification", em *Handbook of Self-Regulation: Research, Theory, and Applications*, organizado por Kathleen D. Vohs e Roy F. Baumeister (Nova York: Guilford, 2011).

Janet Polivy e C. Peter Herman. "Dieting and Binging, A Causal Analysis", *American Psychologist* (1985).

Capítulo 5

Baseado em

Francesca Gino, Michael I. Norton e Dan Ariely. "The Counterfeit Self: The Deceptive Costs of Faking It", *Psychological Science* (2010).

Leituras relacionadas

Dan Ariely e Michael L. Norton. "How Actions Create – Not Just Reveal – Preferences", *Trends in Cognitive Sciences* (2008).

Roy F. Baumeister, Kathleen D. Vohs e Dianne M. Tice. "The Strength Model of Self-control", *Current Directions in Psychological Science* (2007).

C. Peter Herman e Deborah Mack. "Restrained and Unrestrained Eating", *Journal of Personality* (1975).

Capítulo 6

Baseado em

Zoë Chance, Michael I. Norton, Francesca Gino e Dan Ariely. "A Temporal View of the Costs and Benefits of Self-Deception", *Proceedings of the National Academy of Sciences* (2011).

Leituras relacionadas
Ziva Kunda. "The Case for Motivated Reasoning", *Psychological Bulletin* (1990).
Danica Mijović-Prelec e Dražen Prelec. "Self-deception as Self-signalling: A Model and Experimental Evidence", *Philosophical Transactions of the Royal Society* (2010).
Robert Trivers. "The Elements of a Scientific Theory of Self-Deception", *Annals of the New York Academy of Sciences* (2000).

Capítulo 7
Baseado em
Shane Frederick. "Cognitive Reflection and Decision Making", *Journal of Economic Perspectives* (2005).
Michael S. Gazzaniga. "Consciousness and the Cerebral Hemispheres", em *The Cognitive Neurosciences*, organizado por Michael S. Gazzaniga (Cambridge: MIT Press, 1995).
Francesca Gino e Dan Ariely. "The Dark Side of Creativity: Original Thinkers Can Be More Dishonest", *Journal of Personality and Social Psychology* (2011).
Ayelet Gneezy e Dan Ariely. "Don't Get Mad, Get Even: On Consumers' Revenge", documento preliminar, Universidade Duke (2010).
Richard Nisbett e Timothy DeCamp Wilson. "Telling More Than We Can Know: Verbal Reports on Mental Processes", *Psychological Review* (1977).
Yaling Yang, Adrian Raine, Todd Lencz, Susan Bihrle, Lori Lacasse e Patrick Colletti. "Prefrontal White Matter in Pathological Liars", *The British Journal of Psychiatry* (2005).

Leituras relacionadas
Jesse Preston e Daniel M. Wegner. "The Eureka Error: Inadvertent Plagiarism by Misattributions of Effort", *Journal of Personality and Social Psychology* (2007).

Capítulo 8
Baseado em
Nicholas A. Christakis e James H. Fowler. *O poder das conexões* (Rio de Janeiro: Elsevier, 2009).

Robert B. Cialdini. *As armas da persuasão: Como influenciar e não se deixar influenciar* (Rio de Janeiro: Sextante, 2013).

Francesca Gino, Shahar Ayal e Dan Ariely. "Contagion and Differentiation in Unethical Behavior: The Effect of One Bad Apple on the Barrel", *Psychological Science* (2009).

George L. Kelling e James Q. Wilson. "Broken Windows: The Police and Neighborhood Safety", *The Atlantic* (março de 1982).

Nina Mazar, Kristina Shampanier e Dan Ariely. "Probabilistic Price Promotions – When Retailing and Las Vegas Meet", documento preliminar, Rotman School of Management, Universidade de Toronto (2011).

Leituras relacionadas

Ido Erev, Paul Ingram, Ornit Raz e Dror Shany. "Continuous Punishment and the Potential of Gentle Rule Enforcement", *Behavioural Processes* (2010).

Capítulo 9

Baseado em

Melissa Bateson, Daniel Nettle e Gilbert Roberts. "Cues of Being Watched Enhance Cooperation in a Real-World Setting", *Biology Letters* (2006).

Francesca Gino, Shahar Ayal e Dan Ariely. "Out of Sight, Ethically Fine? The Effects of Collaborative Work on Individuals' Dishonesty", documento preliminar (2009).

Janet Schwartz, Mary Frances Luce e Dan Ariely, "Are Consumers Too Trusting? The Effects of Relationships with Expert Advisers", *Journal of Marketing Research* (2011).

Leituras relacionadas

Francesca Gino e Lamar Pierce. "Dishonesty in the Name of Equity", *Psychological Science* (2009).

Uri Gneezy. "Deception: The Role of Consequences", *American Economic Review* (2005).

Nina Mazar e Pankaj Aggarwal. "Greasing the Palm: Can Collectivism Promote Bribery?" *Psychological Science* (2011).

Scott S. Wiltermuth. "Cheating More When the Spoils Are Split", *Organizational Behavior and Human Decision Processes* (2011).

Capítulo 10

Baseado em

Rachel Barkan e Dan Ariely. "Worse and Worst: Daily Dishonesty of Business-men and Politicians", documento de trabalho, Universidade Ben-Gurion do Neguev, Israel (2008).

Yoel Inbar, David Pizarro, Thomas Gilovich e Dan Ariely. "Moral Masochism: Guilt Causes Physical Self-punishment", documento preliminar (2009).

Azim Shariff e Ara Norenzayan. "Mean Gods Make Good People: Different Views of God Predict Cheating Behavior", *International Journal for the Psychology of Religion* (2011).

Leituras relacionadas

Keri L. Kettle e Gerald Häubl. "The Signature Effect: How Signing One's Name Influences Consumption-Related Behavior by Priming Self-Identity", *Journal of Consumer Research* (2011).

Deepak Malhotra. "(When) Are Religious People Nicer? Religious Salience and the 'Sunday Effect' on Pro-Social Behavior", *Judgment and Decision Making* (2010).

CONHEÇA OUTROS LIVROS DO AUTOR

A psicologia do dinheiro

Neste livro, o consagrado psicólogo Dan Ariely uniu forças com o comediante Jeff Kreisler para revelar como as emoções dominam nossa maneira de lidar com o dinheiro e para derrubar as mais consagradas – e equivocadas – premissas das finanças pessoais.

Ao explorar diversas questões do dia a dia – dos gastos com o cartão de crédito às armadilhas do orçamento doméstico –, eles mostram como driblar nossos instintos para não cair nas tentações, para economizar, fazer escolhas melhores e gastar com inteligência.

Intercalando lições de ordem prática com conselhos bem-humorados, Ariely e Kreisler lançam luz sobre os medos e os desejos inconscientes que costumam estar por trás de nossos hábitos muitas vezes desastrados de consumo.

Fascinante e divertido, este livro oferece as ferramentas para você transformar o dinheiro em um poderoso aliado para uma vida mais próspera, tranquila e prazerosa.

Previsivelmente irracional

Por que continuamos com dor de cabeça depois de tomar um remédio barato, mas a dor vai embora com uma medicação cara? Por que ostentamos em refeições luxuosas, mas queremos economizar vinte centavos em uma lata de ervilha?

Sempre acreditamos que nossas escolhas são inteligentes e racionais, mas Dan Ariely joga por terra essas crenças com revelações surpreendentes que mudam a forma como entendemos o comportamento humano.

Nesta edição revista e ampliada do sucesso internacional, ele apresenta experimentos curiosos e pesquisas inovadoras que têm implicações na nossa vida pessoal e profissional.

Diante de decisões como beber café e perder peso, comprar um carro e escolher um parceiro, nós constantemente pagamos a mais, subestimamos a situação e procrastinamos.

No entanto, nenhuma dessas atitudes equivocadas é aleatória ou sem sentido. Pelo contrário: elas são previsivelmente irracionais e Dan Ariely nos mostra como romper com esses padrões de pensamento e fazer melhores escolhas.

CONHEÇA OS LIVROS DE DAN ARIELY

A psicologia do dinheiro

Previsivelmente irracional

A (honesta) verdade sobre a desonestidade

Para saber mais sobre os títulos e autores da Editora Sextante,
visite o nosso site e siga as nossas redes sociais.
Além de informações sobre os próximos lançamentos,
você terá acesso a conteúdos exclusivos
e poderá participar de promoções e sorteios.

sextante.com.br